apresentações

O que
os melhores
apresentadores
sabem, fazem
e **falam**

apresentações

Richard Hall

Copyright © 2014 HSM para a presente edição
Copyright © 2007, 2008, 2011 by Pearson Education Limited
Título original: *Brilliant presentation (Revised edition) – What the best presenters know, do and say*

A edição desta tradução de BRILLIANT PRESENTATION (REVISED EDITION) – WHAT THE BEST PRESENTERS KNOW, DO AND SAY foi publicada de acordo com a Pearson Education Limited.

Tradução: Vicente Adorno
Preparação e revisão: Frank de Oliveira
Projeto gráfico: A2
Paginação: Clim Editorial
Adaptação: Carolina Palharini e Carlos Borges Junior
Capa: Carolina Palharini

Todos os direitos reservados. Nenhum trecho desta obra pode ser utilizado ou reproduzido – por qualquer forma ou meio, mecânico ou eletrônico, fotocópia, gravação etc. –, nem estocado ou apropriado em sistema de banco de imagens sem a expressa autorização da HSM Editora.

1.ª edição – 1.ª impressão
ISBN: 978-85-65482-12-7

A editora agradece ao *Financial Times* a permissão para reproduzir um trecho de "Pleasures outweigh the perils of a more balanced commute", de 3 de julho de 2006.

Dados Internacionais de Catalogação na Publicação (CIP)
(Câmara Brasileira do Livro, SP, Brasil)

> Hall, Richard
>   HSM collection : apresentações : o que os melhores apresentadores sabem, fazem e falam / Richard Hall ; [tradução Vicente Adorno]. -- São Paulo : HSM, 2014.
>
>   Título original: Brilliant presentation : what the best presenters know, do and say
>   Bibliografia.
>
>   1. Apresentações empresariais 2. Falar em público 3. Negócios I. Título.

14-05255   CDD-658.452

Índices para catálogo sistemático:
1. Apresentações empresariais : Comunicação oral : Administração 658.452

HSM do Brasil
Alameda Mamoré, 989 – 13º andar
06454-040 – Barueri – SP

Sumário

Agradecimentos do autor / 7

Introdução / 9

parte 1 **Mudanças nas expectativas** / 17

1 Mudanças, tecnologia, os meios de comunicação e você / 23

2 É sobre a sua carreira que estamos falando / 33

3 Como entender de fato a sua plateia / 41

parte 2 **Conhecer a si mesmo ajuda você a melhorar** / 51

4 O medo – como entendê-lo e controlá-lo / 55

5 Os cinco níveis de domínio da arte de fazer apresentações / 69

parte 3 **O kit de ferramentas do apresentador** / 83

6 O contexto da apresentação / 87

7 Como escrever uma história excepcional / 99

8 Como dar cor à sua história / 113

9 Como ilustrar a sua apresentação / 125

10 Como fazer uma apresentação excepcional / 141

parte 4 **Como tecnologia e técnica impactam as apresentações** / 159

11 A tecnologia está aí para nos tornar mais poderosos / 163

12 Técnica: o aprendizado que vem dos melhores – o fator X / 181

parte 5 **Como se tornar excepcional – juntando todos os elementos** / 199

13 A passagem de bom para excepcional / 203

14 Bom, você chegou lá – excepcional, muito bem! / 217

15 Como aplicar suas habilidades a todos os tipos de reunião / 227

16 Sumário das lições contidas neste livro / 237

Agradecimentos do autor

UMA APRESENTAÇÃO EXCEPCIONAL, como a publicidade excepcional, faz as coisas acontecerem; aumenta o preço das ações e vende o produto. Simplesmente, ela pode fazer a diferença entre sucesso e fracasso corporativo e na carreira. E, como todas as coisas importantes, passa por mudanças rápidas, porque as pessoas a dominam cada vez mais, por meio do trabalho duro e da descoberta de novas maneiras de provocar um impacto. A primeira edição deste livro saiu na Inglaterra em 2007. Nesta terceira edição, tentei colocar você em dia quanto a essas mudanças e tornar atualizado, eficaz e memorável o aconselhamento a todos os apresentadores que querem ser excepcionais.

Meus agradecimentos e meu amor a Kate, minha esposa, que é minha crítica mais prestativa e paciente. Agradeço também a Samantha Jackson, minha editora, e a Eloise Cook, que cuidou desta edição. Ela e uma grande equipe de excelentes pessoas na Pearson merecem crédito por sua energia, entusiasmo e notável apoio a escritores como eu.

Introdução

Hoje em dia, as apresentações são tão normais quanto reuniões

O mundo do trabalho transformou em uma atividade normal do dia a dia a tarefa de comunicar informações e ideias a sua equipe ou a uma plateia mais ampla. Espera-se que você seja bom nisso. A transição desse estágio para uma plateia maior precisa de um pouco de treinamento, é lógico, mas trata-se sempre da mesma coisa. Ou seja, comunicação clara, convincente e confiante.

Desde a primeira e a segunda edições desta obra, muito mais apresentações de vários tipos têm sido feitas, e cada vez mais as pessoas se veem solicitadas a fazê-las. Eu também treino pessoas na arte de fazer apresentações e fui, por assim dizer, "parteiro" de algumas apresentações muito boas de pessoas muito nervosas (quer dizer, nervosas quando começaram) durante os últimos três anos.

Mas isso significa que as expectativas estão mudando

No esporte, nada fica parado. Tecnologias em equipamentos, dieta e técnicas de treinamento aperfeiçoadas – e o simples anseio humano por levantar o sarrafo e bater recordes – prevalecem.

A mesma coisa acontece com a arte de fazer apresentações. Nos últimos anos, a qualidade das apresentações melhorou inexoravelmente, e as pessoas começaram a correr mais riscos: passaram a falar sem anotações, a conversar com plateias maiores e a se ver desempenhando o papel de apresentadoras ao lado de profissionais de alto gabarito.

Este livro examina essas mudanças e as oportunidades que elas criam, além de estabelecer com clareza as habilidades básicas que todo comunicador necessita ter. De que adianta ser um habilidoso produtor de slides se você é inepto como palestrante? Deixar o seu "kit de ferramentas" em forma é a sua primeira prioridade. Todas as coisas boas começam pelo começo.

A importância das apresentações

Como o ato de comunicar ideias e dados domina o mundo do trabalho – e, cada vez mais, o mundo das iniciativas de caridade, das comunidades locais e das boas ações –, ser bom apresentador nunca foi tão importante quanto agora. De fato, ser um apresentador competente pode transformar sua carreira.

> "Em uma economia de informações, a capacidade de transmitir com clareza fatos e argumentos talvez seja a habilidade mais valiosa que existe."
>
> Thomas Weber, Universidade Stanford

Por outro lado, ser um apresentador sem talento, despreparado ou desarticulado pode significar a ruína para sua carreira, por mais que você seja bom em outros aspectos do seu trabalho.

> "Fazer uma apresentação de forma incompetente equivale a fraude."
>
> *Financial Times*

Em termos da escala de importância, Gregory S. Berns (professor de Neuroeconomia, diretor do Centro para Neuropolítica e professor no Departamento de Economia da Universidade Emory), garante:

> "Uma pessoa pode ter a maior ideia deste mundo – completamente diferente e original –, mas, se não consegue convencer outras pessoas em número suficiente, essa ideia não tem a menor importância".

A arte de convencer pessoas – persuadi-las de que você tem razão – é a mais alta forma de oratória e de apresentação na qual posso pensar. Mas suponha que um dia você tenha uma grande ideia e precise comunicá-la a outras pessoas:

- Será que elas vão prestar atenção em você?
- Será que elas vão acreditar em você e na sua ideia?

Não é fácil – mas você consegue

Ser um apresentador excepcional não é fácil. Na verdade, ser excepcional em qualquer coisa não é fácil. Você precisa de um pouco de talento, um desejo enorme de ser melhor, um kit de ferramentas prático, muito tempo para praticar e muito trabalho duro e disciplina. Se tornar-se bom apresentador não é fácil, tornar-se um apresentador excepcional vai ser ainda mais difícil para a maioria de nós.

Este livro lhe fornece o kit básico de ferramentas, algumas indicações críticas e uma grande quantidade de palavras de encorajamento. Leia e aplique o que está aqui, e você se tornará em alguns meses um ótimo apresentador. Mas você precisa tomar a atitude certa. Precisa estar preparado para ser honesto a respeito de em que lugar você se situa agora na tabela de classificação de apresentadores, e tem de aceitar com alegria as horas de prática a que terá de se dedicar – e o trabalho duro que vai precisar executar – que o ajudarão a conseguir melhor classificação nessa tabela. Este livro também deverá fazer com que você se sinta relaxado a respeito da sua busca por excelência e lhe mostrará que você está no começo dessa jornada junto com a maioria dos seus pares.

É impressionante como tantas companhias e tantos executivos supõem que elaborar apresentações é uma arte natural como andar, quando ela é mais como nadar – e muito mais perigosa. Pegue qualquer pessoa, atire-a lá no fundo e observe-a nadar... ou, o que é mais provável, entrar em pânico. Da mesma forma que nadar, fazer uma apresentação é algo que lhe é ensinado e que você aprende. Algumas pessoas têm confiança inata e não sentem medo nenhum de ficar em pé numa sala cheia de gente e falar para essa audiência. Mesmo que você seja um desses poucos felizardos, ainda precisa ler este livro, porque com ele terá a possibilidade de se tornar um apresentador notável, um orador digno de medalha de ouro. Muitos, no entanto, vão abanar os braços, engolir água, debater-se e afundar.

Uma forma cruel de tortura – a "palavra A"

Tudo o que você tem a fazer é entrar numa sala e gritar "Hora da apresentação" para reduzir metade das pessoas lá dentro a trêmulas ruínas. Pessoas que eu treinei achavam difícil lembrar o próprio nome e qual era seu trabalho quando forçadas a ficar em pé numa sala vazia, sem ninguém presente além de mim. Eu via até as pernas delas tremerem, de tão poderosa que era a capacidade que tinham de visualizar como ia ser o evento de apresentação. Para elas, uma morte súbita e inesperada teria sido preferível a essa tortura. Assim, temos três questões que impedem uma apresentação excepcional ou simplesmente competente:

1 Nervos tão esfrangalhados que criam o que eu chamo de "afogados no pânico".
2 Falta de saber o que fazer. Essa classe é muito comum, e eu a chamo de "pessoas que não sabem nadar".
3 Falta de preparação e de criação de uma simples história que leva a uma indigência confusa – trata-se de "vacilantes de beira de piscina", que pertencem à classe definida por Warren Buffett da seguinte maneira: "Ninguém sabe quem não está usando roupa de banho até que a maré baixe".

O que acontece se você não sabe fazer uma boa apresentação

Um ex-executivo principal da Rentokil disse a analistas – de forma a ninguém esquecer – após uma apresentação dele que foi alvo de críticas particularmente ásperas: "Sou pago para ser CEO, e não ator". Pouco tempo depois, por causa da reação dos analistas à sua apresentação, ele foi demitido.

Tony Hayward, ex-CEO da British Petroleum (BP) durante a crise de derramamento de petróleo no golfo do México em 2010, enfrentou o mesmo problema ao ser tachado de mau comunicador. Também perdeu o emprego.

Se você não consegue fazer uma boa apresentação, é pouco provável que tenha sucesso. Um juiz de um concurso de bolsas numa universidade me disse que, entre todos os inscritos, a vencedora foi escolhida não porque teve a melhor ideia, mas porque fez a melhor apresentação.

Todos nós somos expostos diariamente a apresentações muito competentes feitas por âncoras de noticiários ou apresentadores de *talk shows*. Temos uma marca de referência. Não é mais aceitável parecer nervoso ou malandro ou perdido, sem saber o que dizer. Não devemos ser o que juízes de tribunais superiores chamam de "testemunhas não confiáveis".

Em anos recentes, esse padrão de competência se aperfeiçoou, graças a pessoas como Steve Jobs, Sebastian Coe, Morgan Spurlock e acadêmicos como David Starkey e Brian Cox. A chamada transparência da vida contemporânea – na qual mais gestores e líderes empresariais têm de responder a perguntas com frequência cada vez maior – faz com que possuir a habilidade de enfrentar plateias e falar com fluência sobre quase tudo e, ainda mais importante, representar a empresa para a qual se trabalha com clareza e autoridade seja o mínimo que todos nós esperamos.

Por isso, fazer apresentações de forma competente significa muito. Os investidores prestam muitíssima atenção à confiança e convicção com as quais um líder fala sobre sua própria empresa e seus planos. De que outra forma, argumentam, eles conseguiriam saber quais são as perspectivas reais? Se o executivo principal está inseguro a respeito do que acontece, ou se parece que está contando uma mentira, por que cargas d'água esses investidores iriam colocar seu precioso dinheiro de pensão em risco, aos cuidados dele?

Um analista sênior me disse que queria "olhar bem nos olhos de quem fala". Em outras palavras, ele exigia uma apresentação marcante, convincente e coerente, feita por alguém que parecesse dizer a verdade.

Ao dizer isso, ele representava a natureza conflitante da relação analista-gestor. De modo parecido, Jeremy Paxman não precisa olhar político nenhum nos olhos, porque ele parte do pressuposto de que "eles mentem para mim, e cabe a mim descobrir a respeito do quê".

E se a apresentação (feita por políticos) tem reputação de lero-
-lero de espertalhões, isso se deve a pessoas como Alistair Campbell
e Peter Mandelson, arquitetos e notáveis apresentadores do Novo
Partido Trabalhista, e a Karl Rove, que era o "Sr. Quebra-Galho"
de George Bush. Eles ajudaram a criar um novo nível de mentira
agressiva que deixou muitos de nós inseguros a respeito do que é
verdade, e isso levou à pressuposição de que todos os políticos são
uns porcos mentirosos.

Os itens obrigatórios nos negócios hoje

Longe do mundo sombrio e cheio de mentiras da política, entretanto,
há uma lista de itens obrigatórios para quem quer progredir na vida. Os
candidatos têm de responder às seguintes perguntas:

- Sabem ler?
- Sabem escrever?
- Sabem somar?
- Sabem executar tarefas simples de forma constante?
- Sabem fazer o que são instruídos a fazer?
- Sabem fazer uma apresentação?

A arte de apresentar-se em público é ensinada hoje como uma habilidade normal em muitas escolas. Como seria bom se nós "não nada-
dores" tivéssemos tido tanta sorte quanto as crianças de hoje!

As apresentações são uma coisa normal hoje em dia

Em quase todos os níveis de cada companhia, a necessidade de fazer uma
apresentação de algum tipo vai se manifestar com bastante frequência.
Pode ser uma simples fala de agradecimento – isso é uma apresentação
– ou uma descrição das atividades do seu departamento a um visitante
– isso é uma apresentação também – ou a história da nova campanha
de marketing, acompanhada de recursos visuais e música – e isso é uma
grande apresentação.

No mínimo, encare este livro como uma apólice de seguros. Compre-o, leia-o e, quando vier a convocação para fazer uma apresentação, você se sairá bem. Mas, se você aspira a ser alguém que é constantemente solicitado a fazer apresentações porque é muito bom nisso, e quer que as pessoas o descrevam como "excepcional" e não apenas como "bom", então, leia, marque, aprenda, digira bem no seu íntimo e pratique, pratique, pratique.

"A prática não é o que uma pessoa faz quando se torna boa em algo, mas o que ela faz para se tornar boa em algo."

Malcolm Gladwell

Existem diferentes níveis de competência, por isso vamos cumprir uma trajetória passo a passo e começar pelo começo. Se isso for básico demais para você, apenas passe ao nível que considerar apropriado.

Seu primeiro passo para se tornar um apresentador excepcional já foi dado: você está lendo este livro, o mais atualizado, prático e simples guia nesse assunto. Agora, tudo o que tem a fazer é dedicar o seu tempo. Boa sorte.

Parte 1

Mudanças nas expectativas

D esde que escrevi a primeira edição de *Apresentações*, algumas coisas mudaram, e outras, não.

O que mudou?

O que mudou foi o estilo dominante de apresentação, que evoluiu de leitura para algo mais na base da conversa. Do estilo americano de inflamar a tropa ao jeito informal dos europeus, o apresentador hoje lembra bem mais um animador do gênero stand-up do que um executivo de negócios mal ensaiado.

O que também mudou foi a importância da apresentação na determinação do sucesso da carreira, desde o esforço de conseguir o emprego até ser identificado como alguém do primeiro time. Hoje, saber conduzir uma apresentação é uma das atitudes-chave nos negócios. Se você não sabe fazê-lo de maneira convincente, é pouco provável que consiga progredir tão depressa quanto seria de esperar em razão de outros méritos que tenha.

Por último, o que mudou também foi a competição. Cada vez mais pessoas se tornam apresentadores competentes e confiantes. Os padrões de desempenho alcançaram níveis bastante altos, e muitos apresentadores se mostram cada vez mais ambiciosos e abertos a novas experiências.

O que não mudou?

O que não mudou foi a necessidade de dedicar tempo e empenho no esforço para se tornar bom na arte das apresentações. Alguns têm talento natural, mas talento sem dedicação dará pouco resultado ou, de qualquer forma, dará menos do que deveria.

O que não mudou foi a necessidade de ter e preparar uma boa história, e a capacidade de lhe dar vida.

O que não mudou foi o medo que dá aquele frio na barriga quando muitas pessoas são solicitadas a aparecer num palco e fazer uma apresentação a uma audiência grande e cheia de expectativas.

E o que não mudou também foi a necessidade de entender as pessoas que estão na sua plateia, de ter sensibilidade para perceber o que elas sentem, o que esperam e do que precisam.

Até mesmo as diversas formas de apresentação continuam a ter semelhanças. Existem quatro tipos:

1 *A exposição.* A apresentação do relatório de dados – os resultados da companhia, as apresentações dos investidores, dúvidas sobre pesquisas – em que clareza é tudo e qualquer sinal de engodo tem de ser evitado.

2 *O item de destaque.* O grande anúncio. O resultado da experiência pessoal e a apresentação intensiva do trabalho. A história acabada. Planejada para inspirar, informar e envolver.

3 *A conversa.* A trabalho em andamento, a peça criativa, que faz sentir que estamos na direção certa da descoberta. "Aqui estão os ingredientes... e aqui está como o prato pronto pode ficar."

4 *A jogada da venda.* Ela deveria ser uma conversa, e provavelmente será assim. Mas não é trabalho em andamento. Precisa terminar com o fechamento da venda. Você vai solicitar um pedido ou uma resposta positiva a essa proposta.

A abordagem de cada tipo é diferente. A exposição exigirá adesão às diretrizes corporativas, deverá ser discreta, ser comparável com afirmações prévias nesse sentido e, ainda, ser completa e clara. Trata-se de dinheiro. A audiência-chave não ficará aborrecida.

A apresentação do melhor exemplo, do item de destaque, modela a carreira e é tão importante que se parece com uma apresentação de natureza política. Você objetiva emocionar corações e mentes. Você quer votos. Foi isso que sir Stuart Rose fez quando chegou à Marks & Spencer em crise e conseguiu uma grande proeza. Seu sucessor, Marc Bolland, pende mais para a escola de exposição quando se trata da arte de fazer apresentações – é mais de deixar que ações e dados falem por si mesmos.

A conversa é uma forma de construir relações, um intercâmbio de ideias. Conversas são hoje o principal fator que impulsiona a maioria das apresentações de negócios.

Ao mesmo tempo que uma jogada de vendas pode ser na base da conversa, ela também precisa se dirigir com firmeza a uma conclusão – um "sim ou não". Precisa ser inspiradora, confiável e lógica, porém com amplas oportunidades de reagir no ato a respostas positivas ou negativas.

Uma apresentação pode mudar vidas

É claro que isso sempre pode mudar vidas, por isso aqui não houve mudanças. No entanto, *mais* pessoas apreciam o fato de que uma grande apresentação pode ganhar uma eleição ou um contrato importante ou, ainda, garantir um aumento de salário substancial. Colocado de modo mais simples, o poder de fazer uma apresentação pode mudar vidas e destinos.

Houve um aperfeiçoamento no padrão e no estilo das apresentações que se tornou referência para as pessoas a julgarem; as ferramentas e a tecnologia disponíveis e a crescente tendência a exigir uma boa apresentação são vistas como instrumentos-chave de gestão.

Subjacente a esse conceito, há uma verdade que, se você conseguir dominar, será um fator real de mudança na carreira: a arte da comunicação e a capacidade de comunicação cresceram amplamente em importância porque ambas compõem a mais barata e mais poderosa maneira de mudar as coisas e de fazer com que algo aconteça. A capacidade de fazer apresentações é hoje o que um MBA era há uma geração.

CAPÍTULO 1

Mudanças, tecnologia, os meios de comunicação e você

Nós PODEMOS SUBESTIMAR ou exagerar a importância das atuais mudanças nos negócios. O que não podemos fazer é ignorá-las. Veja o que Seth Godin, autor de *Purple cow* (Vaca púrpura) escreveu recentemente em um de seus blogs:

> "Leva muito tempo para que uma geração se adapte a mudanças revolucionárias significativas. As empresas jornalísticas, jurídicas, de advocacia, automobilísticas, fonográficas, até mesmo as de informática... uma a uma, nossas indústrias estão sendo viradas de ponta-cabeça, e com tanta rapidez que somos solicitados a mudar mais rapidamente do que gostaríamos.
>
> É desagradável, não é justo, mas é tudo o que temos. Quando mais cedo nos dermos conta de que o mundo mudou, tanto mais cedo conseguiremos aceitar esse fato e fazer alguma coisa a partir do que temos. Choramingar não vai adiantar nada".

Até mesmo o mundo da arte de fazer apresentações foi virado de ponta-cabeça, mas, como Picasso, precisamos aprender a desenhar antes de tentarmos as coisas mais difíceis.

O que é básico tem de vir em primeiro lugar

Vamos começar supondo que você precisa de ajuda. É por isso que comprou este livro. Vamos supor também (posso fazer isso porque até agora nunca me provaram o contrário quanto a esse ponto) que você é muito melhor como apresentador do que pensa. Porém, talvez, você não tenha dado uma polida nas suas habilidades, nem as tenha desenvolvido. Ou talvez sua confiança tenha sofrido um abalo – e você está com um pouco de medo de encarar uma apresentação.

Entre em ação hoje mesmo

Um traço engraçado dos seres humanos é adiar coisas que eles sabem que é preciso fazer – mas que odeiam porque não são muito bons nelas ou porque ficam apavorados com a ideia de fazê-las mal. Vamos supor que em você esse traço diz respeito à arte de se apresentar. E que há uma maneira rápida de consertar isso, que seria fechar os olhos e visualizar o que é uma apresentação coroada com muitos aplausos.

Em outras palavras, tente ver essa tarefa da perspectiva de uma razoável confiança no sucesso em vez de ser traído pelos nervos e fracassar. Isso seria, vamos combinar, um começo muito bom. A arte da visualização certamente não é nenhuma novidade, mas é nova a frequência com que é mencionada, em especial por esportistas. Já em 2001, Leon Kreitzman dizia às pessoas para "sonhar como fazer suas apresentações" – em outras palavras, tentar ver com os olhos da mente que forma a coisa assumiria como um todo.

dica
Pensar de maneira positiva já é meio caminho andado para neutralizar pensamentos do tipo "Não sou bom nisso, e nunca vou ser".

Pare de pensar sobre o que eles (os da plateia) poderiam "aprontar" – não gostar de você, fazer perguntas embaraçosas, bater palmas lentamente em sinal de protesto, sair da sala. Em vez disso, concentre-se no que pode fazer – ganhar o interesse deles, entretê-los, inspirá-los.

Como a tecnologia ajuda

Sou meio cético quando se trata de tecnologia. Em geral, as pessoas colocam ênfase demais em como ela é inteligente, em lugar de se concentrar no que ela pode fazer por elas. Até, quer dizer, a Apple começar a mostrar sua musculatura e aparecer com algo interessante e útil. A filosofia de Steve Jobs é bastante instrutiva:

"Você tem de começar com a experiência do cliente e ir daí para a tecnologia – e não o contrário".

Vamos abordar detalhes sobre tecnologia no capítulo 11, mas há uma série de desenvolvimentos nessa área que de fato ajudam. Alguns deles estão descritos a seguir.

Melhores slides

- *PowerPoint.* O sistema que faz praticamente de tudo e entusiasma as plateias, preferido por todos que o usam.
- *Keynote.* Equivalente da Apple para o PowerPoint, funciona bem; não é melhor – mas é bom.
- *Animação/vídeo.* É fácil encontrar slides com animação ou vídeo já embutidos. Na verdade, você pode conseguir excelentes resultados se dedicar um certo tempo a dominar e aperfeiçoar esse recurso.

Técnicas teatrais

- *Microfones sem fio.* Antigamente, o palestrante ficava preso atrás de uma estante. Agora todo mundo tem liberdade para se mover pela sala.
- *Iluminação.* Esse recurso foi transformado graças à tecnologia e ajuda a dar aos eventos um aspecto profissional em termos de equivalente teatral, em vez daquele ar rançoso de conferência.
- *Telões.* Uma firma especializada há pouco tempo incrementou um gigantesco evento na Royal Opera House, em Londres, em plena luz do dia, com um telão que proporcionou imagens simplesmente fabulosas – dá para comparar com as repetições de lances, cheias de efeitos, em transmissões esportivas.

O apresentador "itinerante" do século XXI

- *Tablets.* Essa pequena maravilha permite que você controle seus slides, armazene páginas e páginas de anotações, ilumine seu rosto enquanto caminha e fala – e ainda faz com que pareça um apresentador atualizado, ligado nas últimas novidades.

Interação

- *Twitter.* Vi pessoas usá-lo na Conferência sobre Atualização Tecnológica, em março de 2011, na qual quatrocentos delegados gravaram comentários simultâneos no Twitter sobre o que se dizia no palco. Assim, a frase tradicional "Quanta besteira esse cara está falando" era contrabalançada na hora por "Mas ele faz um comentário preciso, apesar de também cruel, sobre Ed Vaizey". Tudo isso era acessado pela plateia e por quem estava fora da sala de conferência em tempo real. "Isso realmente muda as regras do jogo", pensei então.
- *Webcasting (transmissão ao vivo pela web).* Conferências agora podem aparecer no mundo todo enquanto se realizam. O valor do grande evento é multiplicado.
- *Teleconferência.* Esse recurso alcançou novos níveis de impacto, confiabilidade e acessibilidade.

Estilo guerrilheiro de apresentação

Essa descrição bastante crua se refere ao apresentador solitário, em um palco nu, sem nada para se apoiar, sem estante, sem slides, sem acessório nenhum. Assim como a tecnologia facilita conseguir efeitos bombásticos, muitas pessoas estão "voltando ao básico" – verifique se isso funciona para você.

Depende de você

A tecnologia nos ajuda a fazer coisas notáveis e sofisticadas muito bem e sem gastar tanto assim. Mas, no fim, o nível de qualidade da sua apresentação depende de você, não de tecnologia, técnicas ou técnicos.

Você não tem como se esconder

Uma coisa que não muda mesmo é aquele frio bem no fundo da barriga quando alguém recebe a incumbência de conduzir uma apresentação.

> **dica**
> Use a moderna tecnologia – mas não seja governado por ela.
> As pessoas vieram para ver e ouvir você, não seu computador.

Não há tecnologia que faça desaparecer essa sensação de horror. Porém, há fatores mais poderosos do que a tecnologia que são capazes de superá-la: a engenhosidade humana e a vontade de fazer sucesso.

Para quem frequentou escolas que ensinam habilidades de comunicação, uma situação assim é menos traumática. Para quem promove o lançamento de um livro ou está em ritmo de *roadshow* (série de apresentações para promover um produto, ideia etc.), fazer apresentações torna-se uma atividade normal e interativa. E aqui temos uma descoberta simples, ou seja, o horror que a maioria das pessoas sente diante da ideia de fazer uma apresentação vem do fato de que se trata de um evento único – como uma prova de direção de automóvel ou uma primeira (e única) noite com alguém. Assim, quando se consegue transmitir a noção de que não se trata de um evento único – e, em consequência, menos dramático, com a chance de melhorar o desempenho com a repetição –, também se consegue fazer com que isso pareça mais fácil.

E como tornar a apresentação mais fácil?

O segredo é treinar, treinar, treinar; preparar-se com pelo menos um mês de antecedência; evitar a estratégia de alto risco de um esforço de última hora. Um conselho tremendamente útil é: comece o mais cedo possível, ainda bem jovem. Com frequência, encontro pessoas que conseguiram evitar a tarefa de fazer uma grande apresentação por meio de muita astúcia – provavelmente a mesma astúcia que as fez chegar ao topo da carreira. Mais dia menos dia, porém, alguém nota isso, e essa pessoa astuta de repente descobre que vai ter de falar numa conferência muito importante, num local gigantesco como o Albert Hall, em Londres, com milhares na plateia... ou coisa ainda pior.

Toda vez que você tiver a oportunidade de conduzir uma apresentação, aproveite e se esforce ao máximo para fazer o melhor que puder – e aprenda muito. Lembre-se do que disse Malcolm Gladwell:

> "A prática não é o que uma pessoa faz quando se torna boa em algo, mas o que ela faz para se tornar boa em algo".

É muito simples: quanto mais você faz, melhor você fica. Por isso, pare de se esconder e comece a se apresentar.

Técnicas são reescritas todo dia – isso é teatro

A grande apresentação diante de centenas de pessoas é difícil de separar de uma encenação teatral porque é disso mesmo que se trata. Cada vez mais vemos uma nova geração de apresentadores "estilo stand-up" que entra no palco e fala com fluência por meia hora ou mais sem um só escorregão que se note. Bobby Rao, ex--homem de marketing da Vodafone e fundador da Hermes Venture Capital, é o melhor que já vi dessa turma. Incrivelmente equilibrado, instruído e com uma visão imponente e abrangente, ele domina o palco com sua autoridade, convicção e certeza. Talvez a certeza incomode alguns de nós neste mundo tão incerto. Mas eu me lembro do eminente juiz lorde Denning, a quem, quando jovem, seu orientador disse: "As pessoas nos pagam pelas nossas certezas, não pelas nossas dúvidas".

Certa vez, Adam Crowley, mestre na arte de produzir apresentações, descreveu para mim algo que considerava "maravilhoso": um apresentador que enviava seus slides em estado bruto às 9h30 da manhã, chegava ao local às 11 e subia ao palco às 13h30. Com isso, ele dava show ou conseguia apresentar algo "fresquinho"? Eu adoro a ideia de "apresentações com algo fresquinho", em que o material usado é totalmente atual. Logo veremos eventos em que os apresentadores, no fim do dia, cruzarão referências entre slides e comentários feitos na parte inicial de suas exposições.

Membros do Magic Circle (Círculo Mágico) como Nick Fitzherbert usam as regras da mágica para maximizar o foco da audiência durante uma apresentação. Eles aprovam o desempenho de apresentadores como Steve Jobs, que, como qualquer mágico, mantinha seu produto mais recente na frente do rosto.

Técnicas usadas em escolas de gestão de empresas estão se infiltrando em apresentações nas quais a sessão de perguntas e respostas começa no segundo em que o apresentador entra no palco e todo o tema é construído em torno de uma estrutura alimentada, em termos de conteúdo, pela participação da plateia. Quando bem utilizada, essa técnica funciona de forma excepcional.

dica
Se tiver um acessório, mantenha-o perto do rosto.

O teatro de alto nível usa todas as técnicas do ramo: trapezistas, música, vídeo, mudanças de vestuário, pirotecnia... o problema é que cada vez mais mergulhamos num mundo de conteúdos em que as audiências mais inteligentes se acostumaram com peças como *Les misérables* (Os miseráveis) e *War horse* (Cavalo de guerra) – e não querem lantejoulas espalhadas sobre a mensagem. A era do lançamento melodramático de produtos parece que já passou.

Mas isso nos faz voltar a Steve Jobs, que se tornou o maior modificador das regras do jogo no mundo das apresentações. O livro de Carmine Gallo sobre Steve promete nos contar "como se tornar incrivelmente grande diante de qualquer plateia". Nele, Steve ganhou uma boa apresentação:

> "Steve Jobs era o comunicador mais cativante no palco do mundo. Ninguém chega nem perto. Uma apresentação de Jobs desencadeava uma onda de dopamina no cérebro das pessoas na plateia".

Eu vi Jobs, e ele era sem sombra de dúvida o maior apresentador de produto e o maior lançador de inovações que já conheci. Ele fazia os membros da plateia acreditarem no que dizia. E explorava o desejo deles de ouvir mais. Como meu neto, que me pede para contar de novo a mesma história, Steve era como os contadores de histórias de antigamente, só que nos contos dele o herói era a brava Apple, e o vilão, o poderoso monstro encarnado pela Microsoft.

O primeiro-ministro britânico David Cameron por um breve instante mudou o mundo. Imagine um político "sem um discurso pronto"; e um político que "aprendeu seu discurso". Impressionante! Mas o encanto se quebrou, porque o esforço exigido para fazer isso o tempo todo foi demais para sua vida de muita ocupação e poder. E assim ele voltou a ser um político como os outros.

recapitulando

Por toda parte, e cada vez mais, as pessoas vão lá e falam. E muitas o fazem muito bem. A arte da apresentação é agora mais do que uma ferramenta de negócios, é a maneira fundamental de conseguir o que o TED (Tecnologia, Entretenimento, Design – o fórum principal para os grandes oradores) chama de "ideias que vale a pena divulgar". Verifique no site www.ted.com.

É muito bom ver como gente do ramo como Morgan Spurlock e Matt Ridley transmitem ideias interessantes e notáveis, pois o desempenho deles não interfere com a profundidade de seus pensamentos, e eles mantêm em nível mínimo o uso de tecnologia.

Claro, tecnologia é uma maravilha, mas viva o conteúdo!

CAPÍTULO 2

É sobre a sua que **carreira** estamos falando

NÃO ADIANTA FINGIR – e isso, cada vez mais – que a sua aparência e a maneira como você se comunica são irrelevantes para a percepção de como faz seu trabalho. Um dentista desleixado, rabugento e resmungão vai atrair muito menos clientes do que alguém animado e que parece bem cuidado.

Nos dias de hoje, sua competência e potencial como executivo serão julgados pela maneira como faz suas apresentações. E, na economia global da nossa era, não há mais lugar para se esconder. Assim, mesmo que você seja um sucesso no seu trabalho, que seja bom nas habilidades-chave de gerenciamento de projeto e de pessoas, que seja conhecido pela criatividade, se você é incapaz de conduzir apresentações que prendam a atenção, suas perspectivas de carreira estarão comprometidas.

"Você sabe fazer apresentações?" está no topo da lista dos entrevistadores

São 9h30, e as entrevistas para a vaga daquele tremendo emprego começaram. Há dois candidatos externos e três internos. Um destes últimos é uma mulher, que é muito boa e está muito nervosa. Ela também se sente bastante cansada, porque está brilhando no exercício de três cargos: o dela, o do chefe dela (que está de férias) e o de seu assistente (que ainda não foi nomeado). E, para não perder o costume, um dos candidatos desconhecidos e não testado na função consegue a vaga porque "A apresentação dele foi simplesmente a melhor. E, cá entre nós, Sheila foi uma decepção... não se deu bem no dia". Sheila fez um bom trabalho durante três anos, um grande trabalho durante um ano e uma apresentação ligeiramente frustrante por vinte minutos. Todos aqueles elogios anteriores não adiantaram nada, foram o PowerPoint e a linguagem do corpo que decidiram.

A culpa foi de quem? Dos entrevistadores ou de Sheila? Os entrevistadores, ainda que sejam profissionais, são pessoas muito subjetivas e impressionáveis. Eles cismam com a gravata de um candidato ou com a voz de outro. Raramente estudam de fato os currículos, a não ser que haja alguma lacuna quanto ao candidato. Mas tendem a adorar a apresentação porque é a chance deles de mostrar que são bons de análise quando se trata de escolher alguém. Assim, como os entrevistadores adotam esse comportamento, e suas esperanças são de que as questões do teste sejam respondidas com desenvoltura, a culpa é do chefe de Sheila, que saiu de férias, e do pessoal de RH, que não conseguiu ajudar Sheila a entender isso e a se preparar devidamente. Mas Sheila também tem culpa. Ela não tinha prestado atenção ao modo como a companhia funcionava e ao que essa empresa queria – que era exatamente uma apresentação deslumbrante.

dica

Seu domínio da apresentação numa entrevista de emprego é vital para ganhar a vaga. Não subestime a importância disso.

Numa situação em que Sheila tinha o emprego nas mãos, tudo o que ela poderia fazer era deixá-lo escapar de seu alcance apenas sendo descuidada. Uma apresentação é o meio mais fácil de conseguir uma derrota desconcertante ou uma vitória inesperada. Como testes (em que a habilidade verdadeira é esconder a ignorância e exibir ao máximo possível os pontos fortes), elas são uma maneira fácil de ressaltar as qualidades de um candidato ali mesmo. Como entrevistador, você tem a oportunidade de ver pessoas sob pressão e julgar a habilidade delas para organizar seus pensamentos.

Corporações amam apresentações

Amam mesmo. Eu já ouvi pessoas dizerem que foram sugadas (sem poder resistir) para dentro da maneira tradicional da companhia de fazer as coisas. Na IBM, nos sombrios dias de antigamente, a escada para o topo estava em ter o melhor conjunto de slides. Alguém me disse que foi a uma série de apresentações de uma companhia durante dois dias e viu tantas delas que sua cabeça começou a doer depois de inumeráveis *bullet points* (marcadores de tópicos) e slides maravilhosos. "Havia mais de 1.900 slides", disse ele, o que, estranhamente, os organizadores pareciam considerar um triunfo.

As apresentações estão entre os melhores recursos das empresas para criar fluxo de impulso de compra e informação – na teoria, na teoria... Jack Welch, ex-CEO da GE (General Electric, 1981-2001) e talvez o mais famoso líder empresarial da nossa época, dizia a respeito da criação de slides:

> "Sempre achei que fazer gráficos ajudava a clarear meu pensamento mais do que qualquer outra coisa. Reduzir um problema complexo a um simples gráfico me deixa superanimado. Adoro fazer gráficos, e sempre obtivemos muitos bons resultados com eles. O que é mais louco é que nós sempre pensávamos que a última apresentação tinha sido a melhor de todas".

A questão aqui é que, se alguém como Jack Welch acha que apresentações são importantes, é melhor que você preste atenção. Isso é verdade sobretudo em ambientes empresariais altamente competitivos, nos quais executivos seniores adoram colocar os holofotes sobre você e disparar perguntas embaraçosas bem na hora em que você está começando a fazer sua apresentação fluir. Numa companhia de bens de consumo em rápida ascensão, todos lhe dizem que "você é tão bom quanto a sua última apresentação". Isso significa que a sua vida no trabalho é mais ou menos como uma competição ininterrupta de salto com vara e, se mesmo depois de vários saltos magníficos, você simplesmente encosta no sarrafo, é o seu fim!

Da mesma forma como as reuniões são o alimento do dia nos negócios, as apresentações durante elas são a medida pela qual muitas empresas julgam seus executivos.

dica

Reuniões alimentam o dia da empresa, e as suas apresentações nelas são a medida para julgar você.

Assim, a melhor dica para a sobrevivência que posso dar para qualquer um é afiar com empenho suas habilidades de apresentador acima de qualquer coisa. Nesse mundo hostil, sua arte de fazer apresentações pode ser a chave para se livrar de encrencas; porém, por mais esperto que você seja, uma má apresentação torna-se uma marca negativa pública e inapagável.

De que outra forma você divulga e vende uma ideia?

Como disse o astronauta, "Houston, temos um problema".

Eu tenho uma grande ideia: uma ideia para acelerar a carreira, uma ideia que pode fazer todos nós ficarmos ricos. Mas tenho um problema. Minha plateia:

- tem um nível de atenção muito baixo;
- é intolerante em relação a ideias porque escuta ideias novas o tempo todo;
- já se deu mal incontáveis vezes;
- está a fim de tornar as coisas difíceis para todo mundo que faz apresentações para ela... só porque a mesma coisa já aconteceu com quem está na audiência.

Para piorar a situação, eu não sou um bom apresentador.

Então, quais são as minhas chances de sucesso?

Bem, como posso dizer? Suas chances não são nada boas ou, para ser mais preciso, provavelmente nulas.

Lembre-se do que Greg Berns disse:

> "Uma pessoa pode ter a maior ideia deste mundo, mas, se não consegue convencer outras pessoas em número suficiente, essa ideia não tem a menor importância".

Assim, é o modo *como* você apresenta sua ideia que faz com que ela tenha importância.

---

dica

Se você tem uma grande ideia, você vai matá-la se a apresentar mal. Então, aprenda a fazer apresentações com desenvoltura, assim como a criar ideias com desenvoltura. Ambas as habilidades têm igual importância.

O homem subiu na escrivaninha

Esse homem era Kevin Spacey, que vendia a ideia de um filme aos mandachuvas da Pathé Films, em Londres. Tomados por uma fascinação mesclada com horror, eles observaram o ator sapatear e cantar em cima da preciosa escrivaninha do CEO, a poucos centímetros de seus rostos cheios de embaraço.

Já vi Kevin fazer apresentações, e ele é um dos melhores entre os melhores, com a ajuda da sua incrível habilidade para imitar amigos dele como Bill Clinton, Morgan Freeman e Jack Lemmon. Ele é um grande ator, claro, e, como se nem tivesse nervos, segurou a plateia na palma da mão enquanto falava sobre por que governos e empresas deveriam apoiar as artes e por que cortar verbas era, para qualquer pessoa em seu juízo perfeito, não só impensável como também um ato criminoso de vandalismo.

É claro que é pouco provável que você seja tão bom quanto Kevin. Ele é para a arte de se apresentar em público o que Lee Westwood é para o golfe ou Marcus Wareing para a arte de cozinhar. Porém, com prática constante, você pode se tornar muito bom. Contrate um grande especialista em treinar apresentadores – e também se tornará excepcional.

---

dica

Kevin Spacey tornou-se excepcional por meio de trabalho duro. (Você também terá de trabalhar duro para de fato se tornar excepcional.)

Como melhorar sua reputação na empresa

Peça para participar de um programa de treinamento em apresentação. Diga que você se deu conta de como é importante tornar melhores suas apresentações. Se há um grande apresentador na companhia, pergunte se ele pode ajudá-lo. A chave é espalhar que você quer ser grande na arte da comunicação em público.

Ao fazer isso, você, ao mesmo tempo, deixa claro que é um apresentador no qual se deve ficar de olho. Depois, você precisa manter a sua parte da promessa e provar que é realmente bom. E você consegue isso por meio de prática, prática, prática – além de trabalhar com peritos capazes de aperfeiçoar todos os aspectos do que você faz.

recapitulando

Sua carreira depende da sua capacidade de ser um grande comunicador, por isso comece a ser bom no ramo dedicando muitas horas a isso. Se colocar a apresentação como prioridade, vai descobrir que consegue até criar tempo para isso.

Você começará a ensaiar e a pensar sobre o tema quando estiver num engarrafamento de trânsito, debaixo do chuveiro ou à espera de uma visita. Vai conseguir ensaiar em qualquer lugar se estiver mesmo determinado.

Não deixe para tarde demais a tarefa de se tornar bom em fazer apresentações. Isso porque vai levar muito mais tempo e ficar muito mais difícil se você esperar até se tornar executivo sênior antes de ter de enfrentar o fato de que não gosta de apresentações, não quer fazer isso nem é de modo algum bom nessa arte.

E, se você já é mesmo muito bom na arte de se apresentar, fique ainda melhor – torne-se excepcional, porque apresentadores excepcionais têm mais chances de ser contratados do que meros operadores excepcionais. Apresentadores excepcionais mudam mentalidades, vendem mudança e influenciam a maneira como as coisas evoluem numa empresa.

É simples: se você quer transformar sua carreira, torne-se um apresentador excepcional.

CAPÍTULO 3

Como entender de **fato** a sua **plateia**

TALVEZ VOCÊ POSSUA todo o talento do mundo, talvez tenha praticado exaustivamente, talvez tenha uma história sólida, ótimos slides – e, ainda por cima, se sinta bastante bem e confiante. Assim mesmo, as coisas ainda podem dar muito errado. Você tem de se esforçar ainda mais – você precisa entender *de fato* a sua plateia.

A plateia em geral quer que você tenha sucesso

Desde que você não esteja face a face com um bando de sádicos ou de cínicos empedernidos, sua plateia prefere que você passe boas informações, seja uma pessoa interessante e capaz de diverti-la. Mesmo que nela haja muita gente pessimista, as pessoas certamente gostariam que você as surpreendesse com seu talento. Dê a elas o benefício da dúvida, tente começar por amar a plateia e verificar se ela também vai amar você. Em geral, é isso o que acontece.

Por que a plateia está lá? E qual é a agenda daquelas pessoas?

Talvez elas tenham recebido ordens para participar, talvez tenham vindo por sua própria vontade ou até tenham pagado para comparecer. Convém você saber qual dessas alternativas é correta e, de modo geral, o que as pessoas têm na cabeça – suas expectativas, esperanças e medos. Você precisa saber o que elas já sabem, o que querem saber, até que ponto gostariam que sua apresentação fosse simples ou sofisticada.

Você precisa saber quem são elas e que interesses representam. E o que sabem sobre você – se é que sabem alguma coisa.

---

dica

Você não tem plateias boas ou ruins. Você tem plateias que você consegue "ler" – e plateias que não consegue.

E você precisa também se lembrar de que está, como apresentador, no ramo de passar impressões. Apresentadores notáveis transmitem, acima de tudo, uma notável impressão. Eles conseguem isso projetando uma imagem confiante, simpática e inteiramente à vontade com o tema que expõem e com as pessoas a quem falam. Quando plateias se sentem relaxadas com o apresentador, algo mágico pode acontecer. Quem melhor diz isso é Maya Angelou, escritora americana:

> "As pessoas vão esquecer o que você disse, vão esquecer o que você fez – mas nunca vão esquecer como você as fez se sentirem".

---

dica

Aprenda com os melhores que houver por aí. Faça uma pausa de um segundo e tente lembrar como as pessoas que você ouviu recentemente o fizeram se sentir.

O bom desempenho é arruinado pelo fato de você não prestar atenção

Há pouco tempo, ouvi a história de um conferencista bem conhecido, famoso como "orador motivacional". Com frequência, pessoas assim são aterrorizantes, têm um olhar maníaco e falam muito rápido, criando e usando uma porção de acrônimos e siglas, como TURMA (Todos Unidos Realizam Melhores Ações). Ele chegou atrasado a um compromisso, por causa de um grave acidente que paralisou o trânsito. Até ele, conhecido por sua "fleuma motivacional", chegou com respiração um tanto pesada ao correr para o centro de convenções onde se realizaria a palestra anual da Spartemex. A moça que era o contato da companhia correu até ele: "Graças a Deus você está aqui, estávamos tão preocupados. Você precisa entrar imediatamente, e eles precisam muito, de fato, de alguém que lhes levante o moral. Todo mundo está muito, muito para baixo porque...". "Não dá tempo", o orador interrompeu. "Desculpe. Estou quase estourando de vontade de urinar e preciso de apenas dois minutos sozinho para pôr a cabeça em ordem. Encontro você na subida do palco."

Dois minutos depois, ele se projetou no palco, fez um amplo contato visual e berrou: "Alô, Spartemex! Como é que nós estamos hoje?" Silêncio. Praticamente todo mundo olhava para baixo. "Vamos lá, garotos e garotas, animem-se, porque vocês são uma grande turma, e vocês sabem o que significa TURMA – T... U... R... M... A... – que todos unidos realizam melhores ações". Uma garota na fileira da frente levantou-se, olhou para ele (enfim, uma reação), explodiu em lágrimas e saiu rapidamente pelo corredor central com um gemido alto.

Meia hora mais tarde, ele desceu cambaleando do palco, depois de ter tentado tudo e não ter conseguido nenhuma reação, além de as pessoas balançarem a cabeça e se retirarem.

Ele localizou seu contato da Spartemex: "O que foi isso?", perguntou. "Esse é o único desastre que já tive... e a pior plateia que já vi." A moça sacudiu a cabeça com tristeza: "Você chegou num estado tão agitado que nem me deu chance de explicar, em seguida passou voando por mim para subir ao palco. Nosso vice-presidente teve um colapso no palco, no momento em que fazia o discurso de boas-vindas, e morreu. Todos nós o amávamos. Todo mundo está desolado".

O orador, conhecido até como Sr. Motivação, tinha se preocupado por um momento com uma ambulância que por pouco não o jogara fora da rua, quando se dirigia de carro apressadamente para o prédio. Mas ele estava tão fechado em seu próprio mundo que não prestou atenção ao mundo de sua plateia.

Lições sobre como entender plateias

Sempre se assegure de que você recebeu de forma clara e completa as informações de que precisa, em especial sobre quaisquer áreas delicadas. Por exemplo, se já lhe disseram que o diretor de marketing é de ascendência lusitana, não conte piadas de português; o novo chefe é matemático, então nada de piadas sobre esse tema; o vice-presidente acaba de morrer no palco, então não faça piadinhas.

> **dica**
> Assegure-se de que você recebeu de forma clara e completa as informações de que precisa, em especial sobre quaisquer áreas delicadas.

Por mais "turbinado" que você esteja, seja qual for o processo que usa para soltar a adrenalina, não desligue o cérebro. Ouça com atenção, olhe em torno e procure compreender o que está acontecendo. Quando estiver em dúvida, não se isole. É um recurso inteligente colocar-se no meio da plateia e ver como as pessoas se sentem. E, a propósito, nunca superestime sua capacidade de mudar o estado de espírito de uma reunião.

Nem todas as plateias são homogêneas. Entenda todas as correntes que fluem por baixo das aparências. Não apresente material radical a conservadores empedernidos e espere aplausos. Não invista numa jogada potencialmente duvidosa quando você nem sequer domina o jogo que está jogando. Faça – ou tente fazer – a plateia ficar do seu lado. Não seja chato. Vá logo ao ponto essencial do que "vende".

Não beba nem vá a uma festa antes de uma apresentação porque isso faz o cérebro funcionar mais devagar. Se você integra uma equipe de apresentadores, faça com que ela funcione como um coletivo. Nunca deixe um só jogador sair driblando sozinho. Aplauso não significa uma boa análise. Agradar as pessoas com a sua apresentação não é a mesma coisa que sair vitorioso com ela. Você está lá para ganhar, não para entreter. Ouça com atenção e perceba onde sua plateia está, faça as vontades dela, então aperte os botões "quentes". E se apertar um botão que não faz nada acontecer, esqueça-o e siga em frente.

■ Exemplo
Uma apresentação para o NBC Super Channel
Quando eu era vice-presidente da agência de publicidade Euro RSCG,

nós tentamos conseguir a conta do NBC Super Channel. Ninguém tinha ouvido falar dele no Reino Unido naquela época. Agora parece ser um canal a cabo. Francamente, é bem confuso. Lá por meados dos anos 1990, descobri um hotel – o Hyde Park, conforme eu me lembro – que o estava testando.

Como sou um espírito cheio de energia, eu me hospedei no hotel, consumi comida do serviço de quarto, tomei cerveja e assisti a esse canal das sete da noite às duas da madrugada. Bem, nunca vejo muita TV, a não ser quando fico com gripe, e essa foi uma estranha experiência. Eu vi pessoas falando sobre saúde – como estavam de pernas, movimentos intestinais e falta de ar –, uma sessão sobre preços de ações, um pouco de beisebol, um *talk show* com Jay Leno e, à medida que fui ficando com mais sono, parece que vi um pouco de pornografia leve.

Na nossa apresentação bem direta, na qual se deveriam ticar ou não os quadradinhos, coloquei um espaço para avaliar o produto e, à medida que o tempo passava, parecia que eu era provavelmente a única pessoa na sala (inclusive alguns da própria NBC) que tinha uma experiência íntima e extensa do produto.

Quando começamos a falar sobre isso, acho que eu meio que "saí do ar". Extrapolei e exagerei sobre Jay Leno, sobre pílulas de vitaminas, sobre o decote da correspondente de negócios ("o índice Dow está bem para baixo – *down* – esta noite..."). Até consegui falar alguma coisa engraçada sobre beisebol.

Os rapazes e garotas da NBC ficaram histéricos. Minha própria equipe ria, mas de uma maneira ligeiramente perturbada, do tipo "fique atento a isso". No frigir dos ovos, minha contribuição foi muito engraçada, mas desfocada.

Você deve julgar uma apresentação não pelos aplausos, mas pelas avaliações – a nossa não foi muito boa, e não conseguimos a conta. Nunca deixe o desempenho devorar o enredo. Quer falar em roubar a cena? Até Brad Pitt ficaria com inveja... A equipe da NBC me agradeceu, ignorou o resto da nossa equipe tão chata (sim, eles eram muito chatos) e foi embora enxugando os olhos – eles choraram de rir.

dica

Você deve não só conhecer sua plateia, mas também tentar conhecer-
-lhe os sentimentos, necessidades e esperanças... Ah, e precisa falar
coisas que sejam relevantes para as necessidades dela.

De modo geral, você deve não só conhecer sua plateia, mas também conhecer seus sentimentos, necessidades e esperanças. Você precisa responder às vibrações que recebe – e, se não sentir nenhuma, provoque algumas. Você deve trabalhar com as mentes das pessoas na audiência e desenvolver o que se desenrola no meio dela.

Com frequência, sou solicitado a falar em casamentos, funerais, aniversários e outros eventos. O aspecto notável sobre eles é que as plateias são:

- muito envolvidas com política – famílias sempre têm tendências e disputas ocultas;
- repletas de minas – não conte piadas de português, sogra etc.;
- concentradas no evento em questão;
- amistosas – querem que você faça sucesso;
- variáveis em idade e sensibilidade;
- à espera de serem entretidas ou de passar por uma catarse.

Tive mais satisfação e aprendi mais sobre a pura arte de fazer apresentações ao realizar esses eventos do que em quaisquer outros. Concentrar-se no tema, assegurar-se de que você vai romancear, dramatizar e fazer a pessoa em foco parecer boa é tudo. Mostrar-se "para cima" e otimista sempre funciona – mesmo em funerais. Deixe de lado clichês como "Essa é uma tragédia catastrófica" e prefira comentários mais leves, como "Ela morreu jovem demais, claro, mas vejam tanta coisa boa que ela fez enquanto viveu... e como aproveitou a vida".

dica

Plateias gostam de notícias boas, mas, acima de tudo, gostam de
notícias claras e compreensíveis.

recapitulando

A audiência sempre tem razão, por isso cabe a você entender o que ela sente; não cabe a ela entender você. Você é o mágico, então a tarefa de fazer mágica é sua. Se for dada a você a oportunidade de fazer discursos, de celebração ou despedida, ou simplesmente qualquer tipo de apresentação a uma plateia real, aproveite-a. Fazer um discurso é uma experiência maravilhosa, e você só descobre as verdades essenciais da arte de realizar apresentações quando o fizer de fato ao vivo.

As verdades essenciais são:

- conheça sua plateia;
- conheça seu tema;
- escreva uma história bacana, positiva e de boa índole;
- simplifique-a;
- acrescente um pouco de cor;
- tenha como objetivo entreter a plateia;
- ouça com atenção e responda à audiência;
- relaxe com quem está nela;
- "aja", de forma a conseguir o máximo de resultados.

E o melhor conselho de todos: ame sua plateia, e vai descobrir que ela o ama também.

Parte 2

Conhecer a si mesmo ajuda você a melhorar

O poeta inglês John Donne (1572-1631) é famoso pelo verso "nenhum homem é uma ilha" (antes que alguém falasse em igualdade de gêneros). Ele estava certo. Somente conseguimos existir em uma sociedade global civilizada por meio da comparação com nossos iguais e nossos competidores, no que se refere a nosso comportamento, nossa cultura e nossos padrões.

A arte de fazer apresentações é uma atividade que acontece em qualquer lugar, de Beijing a Bexhill, de Nova Délhi a Wellington... o tempo todo. Então, quem é que a pratica bem? Quem fica nervoso? Quem acrescenta algo à arte da apresentação? Quem dá o salto de apresentador a persuasor... e como está fazendo isso?

O desejo de excelência sem nervosismo

Nesta parte do livro, vou lidar com as duas maiores questões que inibem o desempenho de muitos apresentadores:

1 Nervosismo – o tipo de nervosismo que impede você de pensar objetivamente e de sentir a arte de fazer apresentações como o prazer que ela é; nervosismo que induz sofrimento a ponto de as pessoas não conseguirem ver o quanto você é inteligente de verdade.
2 Quanto você é bom – não saber o que significa "ser bom", não saber de que modo você pode ser comparado aos seus iguais, não compreender como ser esperto o suficiente para ser (quando apropriado) um apresentador que vai além de mostrar os *bullet points*.

As perspectivas que dão confiança

Você sabe o que é estar na cama às três da madrugada e sentir que tudo está fora de proporção. Quando sua capacidade de formular hipóteses é vívida e sinistramente criativa; quando você se sente incapaz de dar um cochilo e só se concentra em perder. Essa situação é com certeza a mais negativa que você pode enfrentar.

No entanto, há duas perspectivas que vão ajudar:

1 Separe o que acontece dentro da sua própria cabeça.
2 Compreenda o que ocorre lá fora no vasto mundo.

De modo geral, quero que você veja o quanto pode, deve e merece ser bom na arte de conduzir apresentações; como fazer justiça a você mesmo e como desfrutar essa experiência. Autoconhecimento e capacidade de estabelecer um padrão de referência quanto ao patamar em que você se situa em termos de competência para fazer apresentações são os primeiros grandes passos na caminhada para a excelência. E se você pensa "Bom, tudo isso está muito bem para ele. Ele não sabe como me sinto nem quanto sou ruim", a resposta é: "Eu sei, sim, pode crer". Mas, abaixo da superfície, você com certeza tem capacidade para melhorar consideravelmente... todo mundo que eu treino se torna excepcional. Sinceramente. Claro que não em um dia, em uma semana, porém mais cedo do que você jamais poderia imaginar.

E, para animá-lo, eis uma frase de Stevie Wonder que você também deveria adotar como seu lema:

> "Todos nós temos capacidade. A diferença está em como a usamos".

CAPÍTULO 4

O medo – como entendê-lo e controlá-lo

CONTROLAR SEU NERVOSISMO (e quase todo mundo fica nervoso) é o maior passo que você pode dar para ser bom na arte de fazer apresentações e desfrutar isso. Para controlar os nervos, você precisa entendê-los e se conscientizar de que nervosismo é normal. **Você precisa se dar conta também de que controlar os nervos é um imperativo absoluto para qualquer um que aspire a ser excepcional na arte de conduzir uma apresentação.**

Para muitas pessoas, tudo que envolve realizar uma apresentação – ou, de fato, qualquer desempenho solo em qualquer atividade em frente a uma audiência – causa angústia física de tal ordem que as deixa incapacitadas. O ex-chefe de uma das maiores multinacionais me disse que chorou até dormir depois de um discurso inaugural que fez em sua nova companhia, discurso esse que a seu ver foi arruinado por ele ter vacilado, gaguejado e, em seguida, ter ficado paralisado. Ele disse que se sentiu como um carro italiano de alto desempenho de repente sem combustível em uma estrada movimentada.

Não faz muito sentido falar sobre os pontos mais refinados da arte de fazer apresentações se o apresentador ou vítima (porque é assim que a pessoa se sente) em perspectiva quer se livrar da incumbência antes de explodir em lágrimas ou algo ainda pior.

A voz é a chave

No manual de Julie Stanford *The essential business guide* (O guia essencial dos negócios), Chris Davidson dá alguns ótimos conselhos. Ele observa que "a voz é um excelente barômetro do nível geral de nervosismo do corpo". Ele recomenda o seguinte:

- mantenha uma boa postura;
- respire a partir do diafragma;
- mantenha a voz bem lubrificada com água;
- pronuncie com distinção as palavras inteiras;
- relaxe a face e os ombros (sobretudo pescoço e ombros);
- faça um aquecimento – em especial, repetindo sons como "ããã".

As duas últimas recomendações são realmente essenciais. Se o seu pescoço não estiver relaxado, você terá de lutar muito para parecer ou soar bem. São ótimos conselhos, e eu assino embaixo – em especial os que se referem à postura e ao relaxamento e também ao aquecimento. Se for aos camarins antes da encenação de uma ópera, você verá os cantores ocupados em aquecer a voz com uma hora ou mais de antecedência. Se a sua voz é tão importante – e é mesmo –, dê-lhe a chance de ser sua aliada concedendo a ela algum tipo de exercício preparatório.

Como evitar o "congelamento"

O preparador vocal Valentine Palmer também se concentra na confiança. Ele fala sobre "congelamento", "perder o rumo" e "sentir a voz fugir num momento crucial". Um apresentador que "congela" é como um ator que fica paralisado no palco. Mesmo quem conseguiu superar isso não gosta de falar sobre o assunto porque, da mesma forma que ficar vermelho, esse é um embaraço que as pessoas gostam de deixar para trás.

Você evita "congelar" com os seguintes recursos: manter os pés leves, mover-se e dizer para si mesmo: "Vai dar tudo certo". Carros não "pegam" até que o combustível flua. Falar consigo mesmo equivale ao processo de lubrificação. Transmitir segurança a você mesmo é o combustível da autoconfiança. Você evita "perder o rumo" com o recurso de colocar "placas de sinalização" e "mapas rodoviários" à sua frente – o seu roteiro ou notas que servirão a essa finalidade. No entanto, se você pertence à elite das bravas almas contemporâneas que falam sem o auxílio de notas (o equivalente, em termos de apresentação, a "partir para a guerrilha"), mantenha uma estrutura bem simples: planeje um discurso em não mais do que três partes, com não mais do que três subseções em cada uma.

A sua voz é seu melhor amigo – ou seu pior inimigo. Deixe-a alimentada com pastilhas antes de falar e assegure que haja água para lubrificá-la no palco – e faça isso sempre. Se ela parecer estar a ponto de se tornar uma taquara rachada, tome um gole – de água! – e pense algo do gênero "Ah, vodca... não há nada igual". Isso ao menos vai fazer você sorrir.

> **dica**
> Sua voz é seu melhor amigo. Cuide bem dela com pastilhas, água e aquecimentos.

Quero tratar dessa questão dos nervos com profundidade porque, se você sentir que está à beira de uma "crise de confiança" ou sob a ameaça de um "ataque de pânico", vai achar bem difícil fazer uma apresentação. Você pode sobreviver à realização de uma apresentação mesmo se estiver muito, muito nervoso, mas é pouco provável que consiga chegar a ser considerado "muito bom" até que esteja solidamente no comando de si mesmo e em especial até que esteja com pleno comando da própria voz.

Há exceções, claro. Arthur Rubinstein (1887-1982) costumava ficar com náuseas antes de subir ao palco para tocar. Resistia até o último minuto, e sua relutância era tal que tinha de ser empurrado para lá. Uma vez em frente à plateia, sentava-se ao piano e, claro, tocava como só ele sabia. Da mesma forma, vários grandes atores se sentem como trêmulos destroços antes de uma apresentação ao vivo, ao passo que outros contam piadas. O nervosismo se expressa de modos diferentes em cada pessoa.

Então, como os apresentadores talentosos se sentem de verdade?

Eles talvez sintam alguns arrepios e um fluxo de adrenalina, mas nada de manifestações do tipo ficar com a voz como se fosse de taquara rachada, com olhos esbugalhados e a boca seca, além de "congelar" – fenômenos que arruinaram tantas carreiras. No entanto, não conheço nenhum apresentador que não respire profundamente e, por meio de qualquer uma das técnicas que vou descrever, não procure se colocar em estado de autocontrole antes de subir ao palco – e *desfrutar* cada momento desde o início.

Uma executiva me contou que se perdeu de tal forma que congelou e começou a olhar como maníaca sua aturdida audiência para então gritar: "Parem com isso! Parem com isso! Parem de me olhar dessa maneira!", antes de fugir correndo. Coitadinha – ela ficou com "apresentacionite aguda", algo que, apesar de não representar risco para a vida, definitivamente é ameaça para a carreira e muito, muito desagradável. Então, como a gente cura isso?

Seja honesto consigo mesmo

Você tem de começar sendo honesto consigo mesmo e com os outros.

- Qual é a gravidade do seu problema? Descreva com detalhes por escrito.
- Descreva o quanto você se sente agoniado quando o problema atinge seu pior nível.
- Qual foi o pior nível a que você já chegou? Não – confesse: qual foi na realidade o nível absolutamente pior a que você já chegou?
- Analise como você se sentiu – dos pés à cabeça, de alto a baixo. Como ficaram:
  - sua boca?
  - sua voz?
  - sua respiração?
  - seus olhos?
  - seu estômago?
  - sua cabeça?
  - você conseguia pensar com clareza?
- E como você se sentiu a respeito dessa situação em que estava?

> **dica**
> Enfrentar seu nervosismo fará enorme diferença e acabará com essa história de você se esconder do problema.

O que de fato acontece?

Esses agudos ataques de nervos já foram descritos e analisados em detalhe por legiões de especialistas. Tratamento bem-sucedido é quase sempre a norma nesses casos, ao passo que, se não forem tratados, esses sintomas podem levar depois de algum tempo a agorafobia (medo doentio de estar em grandes espaços abertos ou lugares públicos, ou de atravessá-los), que é muito mais grave. Os sintomas incluem tremedeira, aceleração das batidas do coração, suor, dificuldades respiratórias, dor no peito, tonturas, formigamento nas mãos, náusea ou, em situações mais extremas (de acordo com *O analista*, famosa obra do filósofo George Berkeley, publicada em 1734), um medo palpável, gritante, que começa a subir dentro de você.

Os ataques são mais frequentes no verão do que no inverno – e mais presentes em mulheres do que em homens. Entre as indicações mais comuns de que eles estão para acontecer, incluem-se mudanças nos níveis de pH (acidez, alcalinidade ou neutralidade) do sangue, que sugerem hiperventilação. Aparentemente, respirar mais devagar (ou em um saco de papel) ajuda a restaurar os níveis normais de pH.

O que acontece de fato? O cérebro tem uma pequena estrutura chamada amídala, que age como uma espécie de "botão da ansiedade" e entra em ação só quando a ansiedade é necessária – por exemplo, quando você está frente a frente com um tigre, diante de uma tempestade ameaçadora ou na perspectiva de ter de fazer uma apresentação. Não, não estou brincando – apresentações são uma das razões mais comuns para que esse "botão da ansiedade" se ligue. E, quando isso acontece, adrenalina e serotonina são liberadas, o que faz com que o corpo – para voltar aos nossos primórdios de primatas – se apronte para escapar. É por isso que a adrenalina é conhecida como "o hormônio do lutar ou fugir". Ela faz tudo se acelerar – o coração bate mais depressa, o sangue é redirecionado para os músculos, o que torna você mais capaz de lutar ou de fugir correndo. Além disso, o cérebro "se fecha" – em uma crise de vida ou morte, você precisa de instinto, não de cérebro. Mas, numa apresentação, você precisa que seu cérebro funcione, precisa estar alerta e confiante, além de não poder aparentar nenhum nervosismo.

A serotonina é muito mais complexa e, nos casos mais extremos, pode até matar você (desculpe, era para ser um pensamento mais animador). Pense no efeito de cogumelos mágicos, e terá uma ideia do que se trata. Ela passa por todo o seu sistema com muita eficiência e rapidez, cria euforia, hiper-reação dos reflexos e um estado feliz de embriaguez. Se tiver sorte, você se sentirá capaz de enfrentar o mundo; caso contrário, se sentirá como se estivesse para ter um ataque cardíaco.

Essencialmente, seu corpo e seu cérebro enfrentam uma guerra química quando você fica muito nervoso, e a tarefa deste livro ou de qualquer pessoa que tente ajudar um candidato a apresentador é deflagrar um ataque preventivo.

Então, vamos fazer alguma coisa a respeito disso já.

Esteja consciente de si mesmo

Não sou médico nem psiquiatra, mas, depois de fazer centenas de apresentações e de ter assistido a muitas mais, sei que a ferramenta mais poderosa que você tem ao se preparar para uma apresentação é a autoconsciência. Ao pilotar um avião, você cumpre uma rotina com a qual verifica se tudo está funcionando adequadamente. Isso se chama *pre-flight check* ou verificação pré-voo – uma rotina mesmo, uma rotina infalível, com a inescapável observação "faça tudo nesta ordem, todas as vezes". E é isso que *você* precisa observar antes de conduzir uma apresentação.

Há alguns exercícios que vão ajudá-lo, mas é possível que você se beneficie ainda mais se trabalhar com um treinador profissional da arte de realizar apresentações, em especial se você tem um caso grave de nervosismo a ponto de se sentir mal. Porém, não use drogas, hipnose ou álcool para disfarçar o problema. Você precisa saber como resolvê--lo pelos seus próprios meios.

dica

Seja gentil consigo mesmo. Tenha consciência de como você se sente. Fale consigo mesmo. Não fique alarmado com seus nervos. Trabalhe com eles.

Você acha que a perspectiva de reconhecer isso e submeter-se a tratamento por nervosismo chega a ser um tanto humilhante? Bem, imagino que você já tenha tido aulas de direção, não é verdade? Então, fazer apresentações é como dirigir – só que muito mais perigoso.

Ficar nervoso é normal

O corpo tem o mais fantástico sistema de defesa e a mais incrível tecnologia de administração de drogas a conta-gotas que se possa imaginar. Você só precisa entender o que acontece para ajudar a administrar os efeitos e controlá-los.

Todo mundo fica nervoso. De fato, isso não é inteiramente verdadeiro. Algumas pessoas *se vangloriam* de que não se deixam afetar pelos nervos, e – surpresa! – elas são, quase sempre, apresentadores irrecuperáveis, ou seja, arrogantes, falam alto demais, são obcecadas por si mesmas e sempre exageram.

Sentir-se nervoso é bom. Usados de forma adequada, nossos nervos compõem nosso "sistema de músculos na apresentação". Flexioná-los nos dá um sentimento de hiperdesempenho, que nos transporta do nível comum ao extraordinário no que se refere ao controle da plateia. Os esportistas dirão que o controle dos nervos é a chave para levá-los à zona de melhor desempenho ou à bolha que os faz estourar e se perder.

A linha a ser demarcada se situa entre:

- "agudamente autoconsciente e pronto para se destacar" – o que é excepcional;
- "tremendo de apreensão e querendo ir ao banheiro" – o que é muito ruim.

Então, como você chega à primeira condição e evita a segunda?

Como eu já disse, todo mundo tem nervos. Os melhores – ou, sob qualquer ponto de vista, os mais pragmáticos – entre nós controlam os nervos e os usam. Seja pragmático, não importa o que aconteça – os mais sortudos tiram partido do nervosismo para fazer melhores apresentações. Claro que é um tanto desconfortável, mas, pense bem, isso não faz com que você se sinta mais consciente do seu próprio corpo e da sua própria mortalidade?

dica

As coisas mais importantes estão na mente. Você está dando a si mesmo a melhor chance possível por meio de uma massagem na sua autoestima? Sinta-se bem a respeito de si mesmo, do que você veste, de como o seu corpo se sente... banhado de frescor... exercitado. Eis aqui algumas estratégias que os melhores usam:

- *Sentir-se confortável*. Se você se sente bem, em geral vai se sair bem. Simplesmente você se sente no controle de si mesmo e dos que estão a seu redor. Ronald Reagan talvez fosse apenas um ator classe B, mas em termos de confiança ele era indubitavelmente A. Dizia-se de Reagan que "ele se sentia muito à vontade consigo mesmo". Da próxima vez que você for fazer uma palestra, assegure--se de estar no estado de espírito mais confortável possível – e eu quero dizer "mais confortável" mesmo, e não "mais esperto".
- *Treinar sem roupa nenhuma*. David Heslop, ex-chefe da Mazda e da Expotel, hoje é um empreendedor por conta própria. Ele sugere que você arranje um espelho de corpo inteiro, fique totalmente nu e treine sua apresentação à frente dessa imagem. David é mesmo um homem muito grande, mas esse fato apenas literalmente dá mais peso à tese dele. Isso porque, se você conseguir fazer algo tão embaraçoso – como uma apresentação completa para sua própria imagem nua – sem mover um músculo da face, então, enfrentar um auditório cheio será nada em comparação.
- *Considerar sua plateia*. O conhecimento seguro do que a audiência pode pensar de você vai moldar seu conteúdo, sua maneira de falar e, certamente, sua confiança. Tente o seguinte exercício.

Imagine que você tem de entrar em duas salas: uma azul e uma vermelha. Você precisa fazer uma apresentação intitulada "Como aprendi a me tornar um apresentador confiante".

– Na sala azul, a plateia se compõe dos professores mais intimidadores do seu tempo de escola e também dos seus chefes atuais e de todos (sim, *todos*) os anteriores, além de quaisquer outras pessoas que tenham intimidado você na sua vida.

– Na sala vermelha, está uma audiência de crianças de onze anos relativamente bem-comportadas que não o conhecem, mas sabem – porque alguém lhes disse – que você é uma pessoa bacana. Agora, eu quero que trabalhe com a ideia de exatamente como e por que o seu desempenho será diferente diante das duas plateias, e por que as crianças de onze anos o verão de maneira diferente daquela dos "ogros" na sala azul. A diferença nos *seus* sentimentos sobre cada audiência ajudará a destravar a "máquina da confiança" embutida em você.

- *Preparar-se exaustivamente.* Esse fator cria a confiança do apresentador profissional. Quando observa um competente apresentador em ação e imagina como ele faz o que faz, você precisa se lembrar que ele provavelmente trabalhou muito mais duro do que você imagina para deixar tudo tão redondo. Supondo que você é gerente sênior e vai planejar uma importante apresentação, observe algumas regras principais:
  – a redação inicial deve levar cerca de 3 horas;
  – os refinamentos vão levar mais ou menos o mesmo tempo – 3 horas;
  – a organização inicial dos slides – 2 horas;
  – o exame dos slides que você mandou fazer por um profissional (vale a pena) – 2 horas;
  – ensaiar e reescrever – mais 3 horas;
  – de volta à prancheta e consultas com colegas – 3 horas;
  – treinamento para melhor desempenho – 3 horas.

- Uma preparação que totaliza 19 horas parece longa demais? Não é – pergunte a um profissional. O que essa preparação faz é aumentar enormemente a sua confiança e as suas chances de sucesso.

- *Não dramatizar em excesso*. Você não vai morrer. Lucy Kellaway escreveu, a respeito de ir trabalhar de bicicleta, no *Financial Times*, em 3 de julho de 2006: "Apesar do risco, eu quase nunca me senti apavorada na minha bicicleta. Eu me sinto alerta e viva, mas não assustada. Recentemente, eu estava pedalando numa noite quente para dar uma palestra a um pessoal de negócios. Eu estava bem em relação à viagem de bicicleta, mas não quanto à iminente palestra. No caminho, quase fui atingida pela porta do passageiro de um carro que se abriu de repente, eu desviei e por pouco escapei de uma van. Então, pensei comigo mesma 'Como é possível eu não estar com medo de morrer esmagada, mas estar aterrorizada com alguma humilhação menos significativa à frente de uma pequena plateia de pessoas civilizadas?'. De repente, eu não estava mais apavorada: 'Quando eu estiver no palco, as palmas das mãos suadas não serão mais um problema'. Então, quando tive um daqueles momentos negativos pré-apresentação, do tipo 'por favor, tirem-me daqui', armei um truquezinho para me enganar e disse: 'Imagine que você pode voar para fora de si mesma'. Assim, mentalmente voei até o teto e olhei lá embaixo. Ver a mim mesma desse jeito colocou tudo em perspectiva. Eu me senti muito animada – e tive um belo desempenho".
- *Nunca beber antes de fazer uma apresentação*. Às vezes me dizem que "um gole de vodca" é a resposta. Não é. Não recorra a isso – nunca. Convença-se disso da mesma forma que você não aceitaria que seu cirurgião tomasse um gole (com uma desculpa como "É só para minhas mãos ficarem firmes") antes de uma operação. Mesmo que esse gole pareça a resposta para uma apresentação em particular, no seu estado de embriaguez você não saberá por que certas coisas deram certo (se deram) e por que outras deram errado (se deram). Mais uma vez: nunca, jamais, beba álcool antes de se apresentar.

dicas sobre respiração

Aprender a respirar bem vai fazer você se sentir confiante e pronto para tudo. Pratique inspiração e expiração. Inspire profundamente e conte até quatro; então, expire e conte até oito. Repita quatro vezes. É importante que as expirações sejam duas vezes mais longas que as inspirações. Ou, então, cante até acalmar os nervos. Qualquer pessoa que tenha tido a infelicidade de sofrer um ataque de gagueira sabe muito bem que esse infortúnio acontece quando a gente fala, mas nunca quando a gente canta. Tente ir ao banheiro e soltar a voz numa canção bem forte, ou ensaie o texto da sua apresentação como se ela fosse cantada, num ritmo parecido com o do rap.

E aqui está o roteiro pré-voo para "segurar a respiração", a fim de evitar pensamentos pavorosos como "Por que estou fazendo isto? / Ai, eu queria sumir no mundo":

- desacelere;
- respire profundamente, 4-8-4-8;
- deite-se... isso ajuda mesmo;
- treine manobras labiais para relaxar os músculos da boca;
- visualize a si mesmo em boa forma e se sentindo bem;
- deite-se de novo – feche os olhos e respire como nunca respirou antes;
- faça exercícios para manter as cordas vocais em forma;
- assegure-se de que sua boca e seus lábios estejam umedecidos.

recapitulando

Uma vez dominados, esses mesmos nervos que afetaram seus desempenhos anteriores como apresentador vão ajudá-lo a ir de aprendiz a mestre. O controle dos nervos e o uso das sugestões acima ajudarão você a aprender como se apresentar de maneira impressionante e excitante. Você precisa entender que andar de skate com maestria envolve a perspectiva de cair, e lembre-se: cair não é fracassar – é aprender. A mesma coisa acontece com quem se apresenta. Aprenda fazendo. De qualquer forma, fazer uma apresentação envolve perigos de alta voltagem, por isso você tem o direito de ficar nervoso. Na melhor das hipóteses, é assustador, mas é bom. Porém, de qualquer forma, é sempre um pouco assustador. No entanto, se você seguir tudo isso muito bem, vai ter uma grande sensação ao final, que eu chamo de "euforia pós-apresentação". Até que ponto é perigoso? Veja o que Steven Spielberg diz a respeito: "Tivemos serpentes em *Caçadores da Arca Perdida*, insetos em *Indiana Jones e o Templo da Perdição*. Mas supõe-se que o maior medo do ser humano seja falar em público. Isso vai estar no nosso próximo filme". Ainda estamos esperando, Steven. Creio que fará *Psicose* ficar parecido com *Mary Poppins*.

CAPÍTULO 5

Os **cinco níveis** de domínio da **arte** de fazer apresentações

Este capítulo descreve os cinco níveis que você pode alcançar como apresentador. Como você vai ver, a maioria das pessoas não passa do nível um. A questão aqui é que é difícil ser competente, mais ainda ser bom e muito difícil ser excepcional. A chave é ser honesto sobre onde você pensa que está nessa jornada para o aperfeiçoamento.

Não é um caminho fácil. Você não pode simplesmente dar um salto e proclamar: "Quero ser astro de cinema" e logo se tornar um. Vai exigir trabalho, prática, esforço e muito sangue, suor e lágrimas. Esqueça o sangue – suor e lágrimas bastam.

Para começar, vamos descrever os estágios da jornada.

O mundo do não apresentador

Antes de falarmos sobre os níveis de domínio propriamente ditos, vamos deixar estabelecido de comum acordo que existem pessoas que nunca fizeram uma apresentação e sentem que nunca conseguiriam fazer isso. Elas talvez representem mais da metade da população. Não é motivo nenhum para vergonha ou preocupação.

Mesmo que seja uma dessas pessoas, algo acontecerá a você se seguir o conselho deste livro sobre como esboçar e fazer uma apresentação simples. Metade das pessoas que o fizerem ainda vão odiar isso e achar que é de arrebentar os nervos, embora um tanto menos do que antes; mas não se preocupe, porque você *acabará por gostar*. A outra metade dos que anteriormente odiavam o tema acabará picada pela mosca da apresentação. Se for o seu caso, você vai experimentar o tremendo senso de poder que está em controlar uma sala cheia de pessoas e se concentrar em lidar com essa plateia. Você mal vai aguentar esperar sua próxima apresentação ou discurso. Você já terá entrado naquela que é a fase mais perigosa, sob a classificação de novo, como em novo motorista, novo jogador de golfe, novo corredor. Você tenderá a se sentir capaz de varrer tudo o que está à sua frente, de aterrorizar passantes e alternar momentos de total ou nenhuma confiança. Seu corpo ficará cheio de adrenalina, serotonina e nervos. Mas, se quiser progredir, aqui estão os passos que precisa dar e uma descrição do que é exigido para alcançar cada nível.

Cinco níveis até a excelência

Criei esses cinco níveis porque, para se aperfeiçoar, você tem de saber por onde começar. Imagine a vida sem testes, uma carreira sem promoções nem progressão na hierarquia; imagine um mundo sem bem nem mal, apenas alegremente medíocre. Antes de tudo, tome consciência de onde você começa. Em todos os programas de treinamento da arte de fazer apresentações, seja por modéstia, seja por aguda autocrítica, poucos se consideram bons apresentadores. É isso que vamos mudar a partir de agora.

Nível um: apresentador calouro

Surpreendentemente, poucas pessoas passam desse ponto. Eu os chamo de "apresentadores de fim de semana" – pessoas que fazem uma ou outra apresentação e que sabem lidar muito bem com grupos pequenos. Você é bom no seu trabalho, seja ele o de gerente de marca júnior, executivo de pessoal ou contador de gestão. Apresentações não são importantes para você, nem você fica especialmente nervoso ante a perspectiva de se dirigir a um *breakout group*, ou seja, um grupo de pessoas retiradas de um grupo ou reunião maior a fim de manter discussões em separado.

Você tende a transformar a apresentação num espetáculo e faz seus próprios slides de PowerPoint, lotados de *bullet points*, poucas horas antes do evento. Esse recurso lhe proporciona "um roteiro na tela" e está lá para ajudar você, apresentador, não a plateia. Você transforma em virtude o fornecimento discreto de informações. A qualquer custo, evite o risco do que eu chamo de "encenação teatral", porque isso aumenta o potencial para um fracasso maior ou mais evidente.

Se lhe perguntarem se você vai querer luzes, maquiagem, *teleprompter* (tela em que se projetam textos e/ou instruções para apresentadores ou locutores) e um sistema de som, ou, se você receber a informação de que vai falar para uma audiência de cem pessoas, ou, ainda, que isso pode moldar a sua carreira, então seus nervos devem começar a se manifestar.

É importante reconhecer que pessoas como você são provavelmente muito bons comunicadores quando estão com seus iguais. Mas quase sempre você prefere se comunicar com eles em grupos pequenos e relativamente informais – sentado, em vez de em pé.

dica

Fazer uma apresentação sentado ou em pé são coisas muito diferentes. Para ser notável, você precisa ser bom quando estiver apoiado sobre seus pés. Por isso, sempre ensaie em pé.

Também é importante que não critiquemos você por alcançar apenas o nível um. É regra deste livro, e da vida, que você precisa tentar ser melhor, mas é muito melhor ser um apresentador excelente nesse nível do que um apresentador neurótico no nível dois.

No entanto, há coisas que você deve considerar se quiser melhorar:

dicas

- Como calouro, mantenha o foco em slides mais despojados e mais simples, para que a audiência possa entendê-los facilmente e interagir com eles sem problemas.
- Descarte slides se a apresentação for para um grupo pequeno.
- Ponha um pouco de cor na apresentação – algo que fique na lembrança das pessoas.
- Pense o que você quer conseguir de fato – resultados, não apenas contribuições (*inputs*).
- Pense na plateia.

Como apresentador de nível um (você pode começar a sentir agora que essa é a categoria em que se enquadra), você deve revisar as últimas três apresentações que conduziu para verificar se elas fizeram sentido, se poderiam ter sido melhores, como você as faria de forma diferente ou melhor – e como você lidaria com o fato de ser convidado a fazer uma grande apresentação a gerentes de nível sênior em uma conferência agora.

Você sobreviverá perfeitamente como calouro, mas subir para o próximo nível não fará mal algum às suas perspectivas de carreira.

Nível dois: apresentador aprendiz

Chegar ao nível de apresentador aprendiz é, em relação ao golfe, chegar à média – o que, na maioria dos casos, leva anos. Em termos de cozinhar, equivale a ser capaz de fazer bem qualquer sugestão executada pelo *chef* inglês Jamie Oliver. Apresentador aprendiz é o tipo de pessoa para a qual preparar jantares não traz nenhum sentimento de terror.

Apresentadores aprendizes são competentes. Se você é um deles, sabe como juntar, num todo coerente, slides de qualidade média e uma história bem argumentada. Você sofre dos nervos, mas mantém o controle. Provavelmente, já fez cerca de dez apresentações, das quais cerca de metade aconteceu em eventos de vendas com todo mundo cantando e dançando, e as plateias foram generosas nos elogios que fizeram a você.

Você se conscientiza de que deveria dedicar mais tempo à preparação, mas é uma pessoa muito ocupada, e o item na sua agenda que fica de lado até o último momento é a apresentação. Você sabe que os seus slides são meio chatos; na última vez, decidiu incorporar uma abordagem mais visual, porém, quando surgiu aquele slide mostrando uma manada de gazelas em disparada numa planície, não conseguiu lembrar o que significava, e então se saiu com a frase "esses alces estão tão assustados quanto os nossos competidores". Esse recurso arrancou uma risada, mas fez pouco sentido quando veio o próximo slide com os dizeres "a ameaça da competição – por que devemos nos preocupar".

Apresentadores do nível dois são ambiciosos, e eles se dão conta de que suas perspectivas podem ser ampliadas se tentarem ser mais competentes. Se você é um deles, há muitas questões que deve considerar.

dicas

- Como aprendiz, você precisa dedicar muito mais tempo à preparação.
- Incorpore uma abordagem visual, mas com uma indicação verbal – por exemplo, a legenda "vítima ou predador?" no slide das gazelas teria ajudado a manter coerente a narrativa (e, a propósito, eram gazelas mesmo, não alces, nisso você se descuidou).
- Seja mais fiel ao roteiro, especialmente à medida que avança para eventos mais produzidos.
- Dê relevo aos slides do começo e do fim e àquele mais impactante do meio, se você quer mesmo passar para o próximo nível.
- Assuma uma postura um pouco mais leve... você vai se destacar se deixar seu charme e personalidade brilharem.

Nível três: apresentador artesão

Nesse nível, as habilidades de apresentação vão decidir o progresso de sua carreira. Você receberá solicitações para falar em eventos, e os outros estarão felizes por saber que um artesão da sua envergadura vai discursar em uma conferência. Há amplo reconhecimento de que você é confiante e competente, além de que você é totalmente confiável. Você é cortês com os técnicos e realiza apresentações com estilo, com pensamento bem estruturado, fatores que refletem quanto tempo, esforço e criatividade dedicou a elas. De fato, agora você dedica uma enorme quantidade de tempo a se preparar – provavelmente, essa quantidade aumenta a cada apresentação que faz. Você mantém uma "caixa de apresentação" em casa com recortes, imagens, fotos e cartuns interessantes. Tem um livro com grandes citações. Tornou-se um rato de biblioteca no que se refere a livros sobre gestão. Fazer apresentações agora tornou-se um hobby.

Apresentadores artesãos promovem-se como peritos em indústrias com vistas a se tornar candidatos a convites para eventos internacionais, como alguns recentemente realizados e outros já marcados: "What's New 2011?", em Las Vegas, uma oficina de pensamento para gestores seniores; "The Innovation Forum", em St Lucia, em 2011; "New Wave Thinking in the New World", em Xangai, 2012; "Why Dubai?", 2012;

"After Tom Peters...", em Buenos Aires, 2012; "New Frontiers, New Thinking Ladders", em Sydney, 2013. As suas palestras foram reunidas em um pequeno livro editado pela Prentice Hall intitulado *The craft of originality* (O artesanato da originalidade). A sua reputação está feita.

No entanto, você ainda é apenas um artesão de nível três. Se você visse essa classificação, provavelmente diria, não sem indignação: "Mas todo mundo diz que eu sou excelente". Talvez, porém, por vezes você seja também um pouco chato, quem sabe até um apresentador de segunda mão. Um tanto – não, não só um tanto – seguro *demais*, solidamente instalado em sua zona de conforto. Você é muito bom, mas não é grande. Você recebe convites, mas não é a atração principal.

Você não tem mais acessos de nervosismo ao fazer apresentações. Você tem controle perfeito. Você é fino, engraçado, confiante e coerente em grau supremo. Mas até você tem muitas questões a resolver a fim de alcançar o próximo nível.

dicas

- Como aprendiz, você deve continuar a fazer apresentações – você gosta de fazer isso, e a plateia parece gostar de você.
- Faça a si mesmo uma pergunta bem séria – o que você está conseguindo?
- Reflita se sua companhia – que subsidia suas atividades – merece maior destaque nas mensagens que você transmite. Você vende a companhia com o devido esforço? Ou vende apenas *você mesmo*?
- Tente ser mais excitante, assustador, dramático – qualquer coisa para sair da "caixa de segurança" em que está refugiado.
- Trabalhe com outras pessoas para elevar a qualidade das suas apresentações – se fosse um jogador de golfe, você se esforçaria para chegar a um número cada vez menor de tacadas em cada jogo... e você é capaz disso, quase certamente.
- Tente fazer uma apresentação polêmica e desafiadora que o coloque sob um pouco mais de pressão.
- Escreva um livro para estabelecer sua nova e controvertida posição.

Nível quatro: apresentador astro

Esse é o nível mais perigoso de todos. Quando no melhor de sua forma, astros da apresentação são "ganhadores de Oscar" e incomparavelmente talentosos; quando no pior de seu desempenho, são ruins demais.

Se está nessa categoria, você sofre indizíveis agonias antes de qualquer apresentação, como se seu estômago estivesse sendo devorado vivo por roedores. Antes de subir ao palco, você se comporta de modo horrível com todo mundo ao redor – técnicos, amigos, colegas, amantes, esposas – todo mundo, sem distinção. Você quer mudar tudo no último minuto – sempre.

Apresentadores astros dão novo e mais amplo significado à expressão *prima donna*. Se você se inclui entre eles, você é confiante em grau supremo. Ainda assim, no íntimo é inteiramente destituído de confiança. Você é uma confusão de extremos – feliz, triste, transbordante de energia, inerte, amoroso, vingativo, que inclui e que exclui. Você sempre se concentra muito no que quer, mas tem um limite muito curto de atenção e com frequência esquece o que queria. Você tem espasmos de enorme criatividade e, em seguida, sofre de paralisia por dias. Você chora na intimidade e, às vezes, em público também. Você quase sempre lamenta a própria sorte – emocionalmente, você tem sete anos de idade. Com frequência, ocupa cargo de executivo-chefe.

Em contrapartida, você tem uma bênção, que é o raro e mágico dom de conseguir comunicar uma visão ou sonho pessoal numa linguagem que encontra ressonância na plateia. Você usa maravilhosamente linguagem simples e frases curtas. Realmente curtas.

Apresentadores de nível quatro trabalham com os melhores artistas de slides – aqueles que conseguem fazer vibrar um gráfico que era chato, ilustrar a descrição de um processo operacional a ponto de fazer as pessoas ficarem de queixo caído ao compreenderem e levar audiências a terem vontade de olhar para a tela a fim de desfrutar o espetáculo de lógica vívida a se desdobrar ante seus olhos.

Apresentadores de nível quatro são profissionais no desempenho e amadores quanto a relações humanas – notáveis, mas impossíveis. As razões pelas quais não chegam ao nível cinco são o egoísmo e a conduta errática. Se você se identifica com essa categoria, tenho duas coisas a lhe dizer:

1 Parabéns, é claro que você tem um talento enorme.

2 Faça o que vem a seguir se quer se tornar verdadeira e consistentemente excepcional e alcançar o nível cinco.

dicas

- Não há muito a dizer a um apresentador astro além de "por favor, se acalme". (Se você quiser soar bem irritante, diga "Acalme-se, meu caro".)
- Aprenda o tom de voz e de aparência que você quer projetar e parta daí. O falecido sir Laurence Olivier (1907-1989), um dos maiores atores do século XX, costumava dizer que, uma vez que ele tivesse acertado o jeito de andar e as roupas do personagem, todo o resto se ajustava.

Nível cinco: apresentador excepcional

- Aprenda a ser constante – isso lhe dará vida mais longa e ajudará a fazer mais amigos.
- Use as palavras mais importantes em gestão – "Obrigado" e "Muito bem" – com mais frequência. A equipe em torno de você vai ajudar a aperfeiçoar sua competência nos dias de pouca inspiração e fazer com que você "voe" nos dias favoráveis. Todos os integrantes dela precisam de seu apreço.
- Pense mais sobre sua plateia do que o faz atualmente.
- Pare de se exibir demais.
- Controle os nervos – agora, às vezes você é brilhante apenas pelo esmalte dos seus dentes.
- Continue a fazer apresentações. Nós precisamos de você.

O que é ser excepcional?

Eu defino excepcional na arte de fazer apresentações como um conjunto de habilidades que compreendem:

- conhecimento profundo, transcendental do tema;
- paixão verdadeira pelo tema;

- capacidade de contar uma história em linguagem simples;
- capacidade de fazer uma história parecer nova, cheia de um sentido de descoberta e que prenda a atenção (como sentem as crianças, quando pedem: "De novo, vovô, conte essa história de novo");
- domínio do andamento e controle do evento. Apresentadores de nível cinco são pessoas ocupadas que doam seu tempo generosamente a suas plateias.

É pedir demais dos integrantes do nível cinco que sejam sempre excepcionais; porém, uma vez que estabeleçam esse padrão, não dá para esperar menos deles. Algumas vezes, um apresentador astro – ou mesmo um artesão – chega a ser excepcional. Por exemplo, Melvin Bragg (radialista da BBC, bom apresentador artesão, na minha opinião). Eu o vi uma vez no palco em Brighton falando sobre seu livro *12 books that changed the world* (12 livros que mudaram o mundo). Ele foi uma revelação, transbordante de entusiasmo e excitamento infantil. Deixava muito a desejar em termos de disciplina e se estendeu além do tempo, mas falou com base nas profundezas do conhecimento e do senso de descoberta que o impulsionavam. Foi como ouvir Eric Clapton num longo improviso – totalmente excepcional.

Apresentadores excepcionais são "exibidos"

Apresentadores excepcionais precisam polir sua arte e treinar os que estão ao seu redor. Há muito pouca conversa construtiva sobre como criar grandes apresentações; ainda assim, é isso que eleva o debate sobre um tema e o avanço do entendimento humano.

Apresentadores excepcionais sempre sabem quando vale a pena correr um risco, como estimular e emocionar uma plateia.

Apresentadores excepcionais não têm vergonha. Eles chegam a mentir e trapacear para conseguir a reação que querem da audiência: aquela sensação de atenta perplexidade e o ranger das poltronas quando as pessoas se sentam na borda delas.

Tornar-se um apresentador excepcional talvez seja uma meta mais fácil de atingir do que você jamais imaginou que fosse possível. Nove de cada dez apresentadores não conseguem melhorar porque não tentam realmente e não aceitam que você lhes diga isso. Pense nisso. Será que você se enquadra entre esses infelizes?

Não seja infeliz. Seja exibido. Seja excepcional.

dica

Seja exibido: seduza a plateia – não aposte só no que é seguro.

recapitulando

É possível que você não alcance o pico do desempenho como apresentador, mas deve valer a pena tentar. Como disse o lendário homem da publicidade Leo Burnett: "Se você se propõe a alcançar as estrelas, pelo menos não acabará com um punhado de poeira nas mãos".

O conselho mais importante é ter ambição: querer ser realmente bom nisso e, em resumo, ir atrás do que você quer.

Perguntei a Will Arnold Baker, diretor-gerente da agência de publicidade Publicis, o que ele achava que era ser excepcional na arte de fazer apresentações. Ele disse que alguns dos melhores que tinha visto eram totalmente exibidos (a mesma palavra de novo), que para eles era o chamado *show-time* (hora do espetáculo); e que eles diriam e fariam o que quer que fosse para conseguir um bom efeito. Para eles, aplauso era tudo o que importava.

Parte 3

O kit de ferramentas do apresentador

Os candidatos a apresentador acalmaram os nervos e, depois de deixar clara sua falta de perícia na arte de conduzir apresentações, mostram-se resignados, de forma pessimista, a fazê-lo. O texto que se segue talvez lhes permita ficar em condição melhor que a de resignados e mesmo sentir vontade de ter a experiência. Até aqui, eles apenas tinham olhado para metafóricos pedaços de madeira, tomando consciência de maneira veemente de que não sabem o que são de fato ferramentas como formão, plaina, chave de fenda ou martelo, muito menos como usá-las.

A seguir, você vai se familiarizar com o kit de ferramentas que vão lhe permitir moldar sua apresentação e, depois de um pouco de prática, aprender como produzir uma peça bem pensada, eficiente e que cause admiração. A excelência – aquilo que buscamos – será conseguida por meio de trabalho duro. Por isso, bem-vindo à oficina; bem-vindo à criação da apresentação.

As ferramentas principais são as seguintes:

- Entender o *contexto* da sua apresentação – como maximizar a relevância dela.
- Aprender a criar uma *história*, em vez de montar um conjunto de slides desconectados.
- Dar *cor* à história, de modo que ela prenda a atenção das pessoas com características como clareza, intensidade e ilustração.
- Criar *belos slides* que multipliquem o impacto do que você diz, em vez de atrapalhar.
- *Desempenhar o papel de apresentador* com poder, paixão e convicção, de modo que a plateia fique cativada por você.

- Assegurar que a audiência vá se lembrar *do seu conteúdo, e não do seu estilo.*

O teste rigoroso – você conseguiu transmitir sua mensagem-chave?

Essas ferramentas são as maneiras pelas quais você vai esculpir, acertar, desenvolver e polir sua história. Mas lembre-se: são ferramentas, meios para você fazer a história sair do seu cérebro e entrar na mente da audiência. Você será julgado pela eficácia em transmitir sua mensagem, não pela habilidade com que lida com suas ferramentas.

Toda apresentação tem impacto em dois níveis. Você precisa ter como meta marcar muitos pontos em ambos, mas lembre-se de que a arte da persuasão não é um jogo simples:

1 É importante que a primeira impressão seja forte e marcante. Ela será avaliada por meio de aplauso e feedback instantâneo.
2 O que fica melhor à luz do dia? Com muita frequência, é a apresentação com conteúdo melhor e mais claro que, a longo prazo, marcará mais pontos.

Boa sorte com o kit de ferramentas e a criação de apresentações excepcionais.

CAPÍTULO 6

O contexto da apresentação

SE VOCÊ NÃO SABE *por que* está fazendo uma apresentação, *onde* está fazendo, *quando* está fazendo, precisamente *para quem* está fazendo, *qual* o estado do clima político ou comercial dentro e fora da sua própria empresa, *o que* a plateia já sabe e *quais* as expectativas e esperanças que ela tem em relação a você, então pode crer que vai fracassar – a não ser, é claro, que seja muito, muito sortudo. Entender o contexto em que a sua apresentação vai acontecer é, sozinho, o mais poderoso fator que vai determinar se conseguirá ou não tornar-se um apresentador excepcional, porque na vida há uma regra simples: se você não sabe o que acontece ao seu redor, é pouco provável que seja bem-sucedido. Entenda a razão exata para uma apresentação, o motivo pelo qual ela acontece, os desejos e necessidades da audiência, como ela reage às manchetes locais e mundiais, as últimas notícias da companhia, as fofocas dentro da empresa (nunca subestime isso), e talvez descubra que aquilo que você temia que fosse algo simplesmente medíocre pode levar ao sucesso porque é muito relevante.

dica
Na vida, há uma regra simples segundo a qual, se você não entende o que se passa ao seu redor, não terá sucesso. Por isso, preste atenção.

O efeito do contexto é poderoso. O que pode ser uma apresentação fantástica num dia pode afundar feito uma pedra no dia seguinte. Aquela reação da plateia tão importante tem sempre a ver com o contexto. Então, como você evita entendê-la da forma errada e como, vendo as coisas de maneira mais positiva, você se assegura de que a captou da forma correta? Como garante a si mesmo que é sempre relevante para sua audiência?

Em primeiro lugar, entenda bem a questão da palestra

Isso parece bem óbvio, mas a sua apresentação é de fato sobre o tema que lhe foi solicitado? O romancista inglês Auberon Waugh (1939-2001), filho do também romancista Evelyn Waugh (1903-1966), aparentemente estava sempre pronto a, por um preço, falar sobre qualquer coisa, em qualquer momento e em qualquer lugar do mundo. No entanto, certa vez, ao falar ao telefone, ele entendeu errado o que o organizador de uma determinada conferência tinha dito. O que ele ouviu de fato foi a palavra "Toscana", logo seguida das palavras "libras" e "milhares". Ele ficou, para falar a verdade, algo espantado quando lhe pediram que falasse sobre *breast feeding* ("amamentação no peito"). Ainda assim, Toscana é Toscana, e milhares de libras são milhares de libras, e dessa forma ele conscienciosamente pesquisou o tema, a respeito do qual até então não sabia nada. Só em Florença, quando estava a ponto de iniciar sua fala, descobriu que supostamente deveria falar sobre *press freedom* ("liberdade de imprensa"). Bem, esse é um erro fácil de cometer, em especial se você é meio surdo e bem ganancioso.

dica
Assegure-se de que você vai responder à pergunta proposta. Relevância é a chave.

É impressionante a frequência com que esse "problema da questão proposta" é entendido de forma errada. A seguir, um conjunto de perguntas de planejamento que você deve fazer – e para as quais deve obter respostas – se pretende melhorar suas chances de estar por dentro do que é importante, de fazer justiça a si mesmo e de ser excepcional.

■ Lista de controle

1 Sobre o que é o evento?
   - Por que ele acontece?
   - Quem decidiu programá-lo?
   - Qual é o programa?
   - Há alguma programação oculta?
   - O que o organizador espera alcançar?
   - O que a empresa matriz faz atualmente?
   - Quais as questões que a companhia enfrenta nas áreas comercial, competitiva, estratégica, financeira, política, em termos de rotatividade de pessoal, de estabilidade de gerenciamento? Há muitas vassouras novas ou vassouras velhas? E o que há de notícias ruins, notícias boas ou escândalos?
2 E as pessoas na plateia?
   - Elas gostam umas das outras?
   - O que aconteceu na última vez em que esse grupo se reuniu? Elas ficaram por perto depois do evento?
   - O evento foi um sucesso ou um fracasso?
   - Existem tensões subjacentes? Ao ver uma apresentação pelo site, achei a atmosfera muito estranha. Transpirou que o executivo principal e seu vice estavam em desacordo, a tal ponto que um – ou ambos – teriam de sair da empresa. Os colegas deles estavam tomando partido. Ninguém pensou em mencionar isso para mim durante a sessão de *briefing*.
   - O que fazem as pessoas da plateia? São seus subordinados, pares ou superiores?
   - Alguém sabe o que elas pensam, quais são seus problemas, quais as expectativas delas em relação a você e a essa reunião?
   - Elas o conhecem ou sabem alguma coisa sobre você? Em caso positivo, o que esse conhecimento compreende? Se não, como deverão ser as expectativas delas?
   - Você consegue se encontrar com alguma delas antes de falar? Pediram a David Heslop (ex-executivo-chefe da Mazda Cars e da Exportel) que falasse ao pessoal de vendas do jornal *The Independent*. Ele preparou sua apresentação, então se deu

conta de que esta era egocêntrica, toda voltada para o que ele mesmo pensava, para a indústria dele – não a deles – e se, por acaso, ele conseguisse se comunicar com eles de alguma forma, então seria pura coincidência. Acontece que ele é bom pianista; então, chegou um dia antes e tocou no bar do hotel onde, incógnito, teve a chance de conhecer muitos dos integrantes do pessoal do *Independent*. Ao falar, no dia seguinte, ele o fez com conhecimento de causa e como alguém de dentro. Teve, segundo me disse, um belo desempenho, do tipo "Uau!".

3 Que tamanho de plateia?

- Quantas pessoas estarão na audiência? Isso é fundamental – existem de modo geral quatro tipos de plateia conforme seu tamanho:

  a) encontro íntimo (dez pessoas ou pouco mais): ambiente com todos sentados, relativamente informal com, ao que se espera, bastante interação. Um *flip chart* ou um projetor suspenso funcionam bem nesse caso, mas evite auxílios visuais elaborados e caros;

  b) encontro grande (até por volta de trinta pessoas): essa é uma reunião razoavelmente formal, com regras de gestão bastante estritas que, ainda assim, precisará de muita conversa de lado a lado para atingir altos níveis de energia. Pode ser um fórum notável para conseguir grande realinhamento do pensamento ou da estratégia da companhia;

  c) evento preparado de forma adequada (até cerca de cem pessoas): agora estamos começando a falar em "teatro". Você vai necessitar de palco, boa iluminação, sistemas de som e visuais decentes. Você terá de preparar atentamente seu discurso. Haverá menos margem para improvisação, e você precisará ser mais cuidadoso.

  d) teatro real (para cem ou mais pessoas): nesse nível, já falamos sobre os truques do ramo. Você vai necessitar de retaguarda profissional e, se não tiver o melhor que há, não estará com uma postura realmente profissional. Dedique pelo menos tanto tempo aos ensaios no local quanto o total que você reservaria para um evento menor. Esse nível de desempenho é de alto risco e alta recompensa. É de alto risco porque é claramente muito importante, caro e significativo. Alguém da Unilever me falou sobre "os bons dias de outrora" no Palladium (grande sala de espetáculos em Londres), quando se esperava que o alto escalão das administrações se apresentasse ali, ao lado de personalidades como Tommy Cooper (1921-1984, conhecido mágico e comediante inglês) e Eric Morecambe (1926-1984, famoso comediante inglês) em grandes apresentações de vendas. Isso sim é que algo desafiador. E quer saber de uma coisa? Aposto que Eric e seu parceiro Ernie Wise (1925-1999) também ficavam nervosos ao atuar nessa casa tão tradicional.

- Um grande "show" é também um grande teste para você como gestor. Se você não sabe ao certo como será a "atmosfera" do teatro ou do palco, então correrá um grande risco, da mesma forma que alguém que embarca sem mapa numa jornada para um lugar em que nunca esteve antes.

4 Para onde as coisas se encaminham?
- Pense muito mesmo sobre o presente e o futuro. Vivemos num mundo de profundas mudanças. Como o americano Leonard Riggio, presidente da rede de livrarias Barnes & Noble, comenta em *Fast company*: "Tudo está em jogo". Isso significa que nenhuma apresentação feita a um grupo de gestores de alto escalão terá muita credibilidade, a não ser que reflita a escala e o andamento das mudanças atuais. Cada apresentação contém a premissa, com frequência não explicitada, de que nada vai ser confortável, nada pode ser dado como favas contadas e que até mesmo esse evento será a respeito de rompimento da ordem conhecida.
- Há muitos bons exemplos disso. O Google fala que seus desenvolvimentos "estão limitados pela velocidade da luz". O tamanho da China é posto no contexto quando eu digo a você que a população de deficientes dela é a mesma que a população inteira do Reino Unido. O McDonald's acha mais rápido, mais barato e mais eficiente terceirizar o sistema de

pedidos pelo cliente em seus *drive-throughs* do que fazê-lo em seu próprio espaço. Os fundos *hedge* são hoje tão grandes que, coletivamente, na realidade eles logo estarão dirigindo a economia do mundo. (Ou não. As crises econômicas dos anos 90 talvez tenham dado uma freada neles.)

- Tudo isso serve para demonstrar que não há certeza sobre nada nos dias de hoje. Os consumidores estão prevenidos contra o tipo de marketing que conhecíamos, porque a essa altura eles sabem como isso funciona. A maior parte da tecnologia de que dependemos hoje estará obsoleta por volta de 2014. Muitas grandes corporações estão condenadas ao fracasso, embora a maior parte delas vá levar longo tempo para morrer. E, se você não souber usar a web, logo estará extinto, Sr. Dinossauro.

- Então, você está na mesma velocidade que o contexto dos mercados em que opera? Você precisa estar, porque ninguém quer ouvir ninguém que esteja ultrapassado. Palestrantes de negócios precisam ser visionários, não historiadores.

5 Você está na mesma velocidade que o dia a dia?

- Com isso, quero dizer se você está realmente a par do que acontece nas notícias no mundo todo, não só no seu ramo de negócios. Certa vez, fiz uma apresentação a um grupo estratégico fora do local de trabalho dos participantes. Ao ir de carro para o encontro, ouvi a notícia de que a Grã-Bretanha tinha se retirado do Mecanismo de Taxas de Câmbio Europeu, no que foi chamado de "Quarta-feira Negra" (uma referência à "Quinta-feira Negra", 24 de setembro de 1929, data da quebra da Bolsa de Nova York.) Com o desenrolar dos eventos, Norman Lamont, ministro da Fazenda do Reino Unido, convocou a mídia e falou a respeito da alta nas taxas de juros. As pobres almas que compareceram à minha apresentação, que tinham ficado "trancadas" em seus escritórios, nada sabiam disso até que eu lhes disse. A partir desse ponto, nada mais lhes interessava. Todos ficaram sentados quietinhos e em estado lastimável, pensando em suas hipotecas que naquele momento haviam se tornado impossíveis de pagar. Contexto é tudo para todo mundo, sempre.

6 Onde o evento se realiza e o que há no programa?

- No escritório, em local próximo, em hotel de luxo, com pernoite, no estrangeiro, em espaço grande ou pequeno?
- Que tipo de espaço?
- Que tipo de equipamento?
- Você pode interferir para mudar alguma coisa?
- Você confia no pessoal que dirige o evento?
- Vai fazer frio ou calor? Seja qual for o clima, assegure-se de que você estará confortável e confiante – terno e gravata apertados a 35°C é má ideia. Certa vez, fiz uma apresentação durante uma conferência global de publicidade no Hotel Martinez, em Cannes. Estava muito quente. Eu sufocava de calor na cama às duas da madrugada na noite anterior ao evento em meu quarto e decidi abandonar minha apresentação cuidadosamente preparada. Concentrei-me na minha aparência e na impressão que iria dar. Adotei um figurino tipo "máfia". Óculos escuros. Terno preto. Camisa de linho branco com colarinho aberto. Cabelos em desordem, estilo "quarto de dormir". Eles adoraram esse "look criativo". Eu falei de maneira criativa... poucas palavras, muitos apartes e comentários, muito contato com a audiência. Falei o que chamamos hoje de "linguagem do cara". Nós nos conectamos. Funcionou. Eu acrescentei algo relevante ao contexto do evento.
- Quem vem antes e depois de você no evento? Como é provável que a plateia se sinta quando você entrar? Estarão todos aborrecidos, sonolentos, excitados, com vontade de argumentar, irritados, aborrecidos, felizes, com expectativas, aliviados? Seja o que for, "dance conforme a música" e não vá contra ela. Contexto é tudo, e a audiência está sempre certa. Lembre-se de que você só consegue trabalhar com o que tem. Num evento em Londres do TED (Tecnologia, Entretenimento e Design, programa global de conferências da organização sem fins lucrativos da Sapling Foundation, com o objetivo de disseminar "ideias que vale a pena compartilhar"), a jornalista conhecida como Mrs. Moneypenny, do *Financial Times*, subiu ao palco logo depois que tínhamos visto um vídeo poderoso

e emotivo da atriz Jill Baker que descrevia o que é ter um derrame. "Foi pavoroso ter de falar depois daquilo", ela me disse. Mas ela se saiu muito bem, pois teve o cuidado de fazer menção à história de Jill e dar tom mais sóbrio ao início da sua própria fala, de modo que todos pudéssemos ajustar nosso estado de espírito. Audiências não vão de baixo a alto volume ou de devagar para depressa em segundos. Diminua o volume e ajuste o andamento cuidadosamente.

7 Qual é o estado de espírito no dia?

- O pior erro que se pode cometer é julgar tudo com precisão, exceto, como diriam os atores, "o cheiro da plateia na noite". Antes de começar, você precisa julgar como as pessoas se sentem e no que estão pensando naquele momento. Elas estão irritadiças e sem vontade de responder? Talvez tenham se aborrecido ao vir de carro, ou talvez um astro ou estrela da equipe tenha arrumado uma briga antes de sair de casa? Tente detectar isso e dê a elas o tempo necessário para se acalmarem. Você não é o astro numa redoma. Você é o facilitador dos sentimentos deles, o organizador da energia deles e o maestro do estado de espírito orquestral deles.

- Lembre que desempenho perfeito não tem a ver com perfeição. Tudo acontece em relação ao que a audiência quer, espera e dá de volta ao apresentador. Que grande feito foi para o professor inglês de literatura Neville Coghill (1899-1980) e a Universidade Oxford conseguirem que o ator Richard Burton (1925-1984), no auge da carreira, fosse até a universidade para desempenhar o papel-título da clássica peça *Dr. Faustus (Dr. Fausto)*, de Christopher Marlowe (1564-1593). Isso aconteceu no início de seu conturbado envolvimento amoroso com a também atriz Elizabeth Taylor (1932-2011); eles tiveram então um golpe de sorte duplo, pois ela aceitou desempenhar o papel de Helena de Troia. Richard Burton gostava demais de beber e bebeu muito sob os inspiradores pináculos da universidade. Ele estava bastante bêbado de fato durante a maior parte do tempo e esquecia às vezes suas falas. Em circunstâncias normais, qualquer um teria desabado ou seria expulso por um forte coro de vaias, mas algo estranho aconteceu: ele realmente, repito, realmente, sabia o significado, a essência central da peça, de seu enredo verdadeiro. Para mim, foi o Dr. Fausto definitivo. Burton conseguiu transmitir a verdade, o significado emocional real do texto e, se os detalhes ficaram turvos, bem... a gente pode perdoar deuses como ele. Não fique bêbado, mas também não confunda preparação perfeita com entendimento perfeito e desempenho perfeito. O detalhe importa menos que o grande ímpeto, o significado essencial, a história.

8 Como você se sente?

- Seus nervos – você não os dominou por completo, mas já conseguiu controlá-los. Você realmente impõe respeito quando faz a apresentação. Mas suponha que fique doente – você sua, está com o estômago embrulhado, sente-se com vontade de morrer. Ah, se a cruel plateia pelo menos soubesse exatamente como você está. Mas a questão não é como você se sente fisicamente. Você se mostra concentrado, alerta e "a fim de mostrar que está à altura do desafio"? Isso é o que importa. Guarde como você se sente apenas para você mesmo. O que interessa para a plateia é que eles precisam acreditar que você se sente sempre maravilhosamente bem.

9 Você sabe o que a audiência sente?

- Tente perceber o que é de fato estar na plateia: sente-se onde eles vão se sentar e faça alguém falar do ponto no palco de onde você vai fazer a apresentação.

10 Você está mesmo no comando?

- Com todas as habilidades de gestão que obviamente possui, você pode encorajar, cativar e convencer as pessoas que fazem café, chá e almoço para que trabalhem com você, em vez de contra você. Faça isso.

- Chegue cedo e converse com as pessoas que são com frequência ignoradas. Aconteça o que acontecer, pelo menos elas estarão do seu lado quando a apresentação começar. Uma grande apresentação a um pequeno grupo foi sabotada (ligeiramente, mas em grau bem ruim) porque o apresentador teve uma discussão boba e indigna com uma garçonete – que em seguida passou a apontar de forma insistente para ele e a chamá-lo bem alto de "aquele idiota ali".

recapitulando

Se você não sabe onde está ou por que está lá, não tem como saber de fato o que está fazendo. Nem vai conseguir fazê-lo – seja lá o que for – particularmente bem. Mais importante ainda, o que você disser não terá aquele alcance e relevância que todos os apresentadores excepcionais têm. Acredito que a habilidade de um apresentador excepcional é saber que descobriu as respostas para as seguintes perguntas:

- O que acontece?
- Onde acontece?
- Quando acontece?
- O que eles querem?
- Quais as expectativas que têm?
- Do que necessitam?
- O que acontece no mundo?
- O que acontece na vida deles?
- Quais são os maiores problemas deles – agora mesmo, hoje?

Nunca é suficiente acentuar o quanto é importante captar de forma correta a "coisa do contexto". Ainda assim, a maioria de nós é um tanto ou quanto preguiçosa para fazer a pesquisa necessária e manter as conversas antecipadas que nos ajudam a entender os fatores presentes nos bastidores capazes de reduzir uma apresentação potencialmente notável a um fracasso.

Acima de tudo, lembre-se de que a apresentação é agora... não no passado ou no futuro, mas agora mesmo. O que acontece agora é relevante para a plateia, e captar isso é a chave mágica para entender como fazer todo esse teatro do evento trabalhar a seu favor em vez de contra você. Mostre que está a par dos acontecimentos presentes, dê relevância ao que fala e você fará a conexão com a sua audiência.

CAPÍTULO 7

Como escrever uma **história excepcional**

Uma história excepcional

UM DOS VENCEDORES do Prêmio Whitbread de literatura do Reino Unido é o americano James Shapiro, que alega ter odiado Shakespeare na escola, mas agora está absolutamente fascinado por ele. Em seu livro *1599*, ele conta a história do ano em que William Shakespeare escreveu, entre outras coisas, *Henrique V, Júlio César, Como gostais e Hamlet* – nada mau como resultado de um ano de trabalho, histórias realmente boas.

dica

Seja como Shakespeare, isto é, um contador de histórias realmente muito bom. Dê às suas plateias aquela tensão narrativa que Shakespeare criou: começo forte, meio coerente e fim memorável.

dica

Conteúdo é rei. Acertar o tom da história leva tempo, mas, a não ser que você aprenda como criar uma história interessante, nunca será um bom apresentador.

Morte a "declarações de missão" e outros tipos de jargão

Em uma das empresas em que fui presidente, bani o uso da horrenda frase "declaração de missão" e insisti para que fosse substituída por "nossa história". Ações como essa vão encorajar as pessoas a fugir do discurso corporativo, do jargão e dos *bullet points* e a se voltar para a simplicidade, a excitação e o bom senso. A propósito, adorei o anúncio dos fabricantes de sorvetes Ben & Jerry em que eles com leveza desprezavam toda essa ideia do jargão corporativo. O texto dizia: "Declaração de missão: fazer bom sorvete". Maravilhoso.

O que é bacana a respeito das histórias é, afinal, elas terem algo a revelar, algo a explorar, algo a resolver. Em outras palavras, algo interessante a dizer.

---

dica
Nunca lance mão de mais de três pontos ao criar uma apresentação. Pense sempre em três: começo, meio e fim. Todas as coisas boas vêm em número de três.

Lista de "faça" e "não faça"
Faça
✓ Limite seu pensamento à "regra de três". Essa técnica simples significa que a você nunca é permitido usar mais do que três pontos. Nunca. Tente ver como isso é poderoso. Por exemplo, há apenas três coisas a respeito de criar histórias: elas são projetadas para chamar a atenção da audiência, elas são sobre pessoas e eventos, e falam de mudança.

✓ Tente resumir o fio condutor da sua história em apenas algumas palavras. Por exemplo, se você diz "Esta apresentação é sobre o nosso crescimento, como nós o conseguimos e o que vamos fazer a seguir", isso vai "fixar" na mente da plateia e na sua a jornada que você vai cumprir. Muitos de nós achamos difícil dizer de maneira exata aonde vamos, o que provavelmente é responsável por tão poucos de nós chegarmos de fato a algum lugar.

✓ Tente criar uma estrutura simples, de modo que a história da apresentação tenha uma ordem que corresponda a ela. Algo como:
1 aqui é onde estávamos;
2 aqui é onde estamos agora;
3 aqui é onde queremos estar.

✓ Ofereça à sua plateia os fundamentos para a história em termos gráficos. Defina tempo, lugar, temperatura, ambientação etc., porque esses elementos "grudam" na imaginação das pessoas. Lembra-se daquelas histórias que começavam com "Era uma noite escura e de tempestade"? Dá para sentir a audiência já se arrepiando...

Não faça

✗ Não comece a história por nenhum outro lugar que não seja o princípio. Comece por decidir qual será o "fim", ou seja, o que é afinal que você quer transmitir. Tudo o que você fizer deverá levar a esse ponto final – tudo.

✗ Não tenha pruridos de cortar qualquer coisa da sua apresentação que não faça a história avançar, não importa quanto você ache que ela seja bacana.

✗ Não fale apenas na terceira pessoa. Tente introduzir experiências e anedotas relativas à primeira pessoa. Por exemplo, eu me lembro de uma história bem forte que contei ao Departamento de Saúde da Grã-Bretanha quando trabalhava em publicidade e nós tentávamos ganhar a concorrência para uma campanha antifumo destinada a adolescentes. Era sobre minha sobrinha, que recebia da mãe cigarros ao ir a festas, de modo que, se ela ficasse mesmo com vontade de fumar, a mãe sabia que ela não correria o risco de lhe darem um cigarro de maconha. Essa história falou bem alto aos ministros e seus assessores.

Uma maneira de pensar na história que queremos contar é olhar para ela dentro da estrutura em que tudo o mais se encaixa. É verdade pura e simples que, se você não tem uma história realmente boa, sólida, para contar, então você de fato ainda não conseguiu montar uma boa apresentação.

A verdade é uma arma poderosa

Todos nós ficamos impressionados pelo que chamamos, com considerável admiração, de "histórias verdadeiras". São narrativas que soam até como se fossem de ficção – do tipo que a gente apresenta como "essa vocês não vão acreditar..." –, mas estão firmemente baseadas na realidade e aconteceram de fato. Ficção histórica bem escrita se reveste de enorme credibilidade porque se ajusta à estrutura de fatos que todos conhecemos. Assim, nas suas apresentações, insira fatos, números, nomes etc. que você consiga estabelecer como baseados na verdade.

dica

Use anedotas e histórias pessoais para fazer com que sua apresentação não fique parecendo um discurso já por demais conhecido e utilizado por outros antes de você.

Anedotas e histórias pessoais saem facilmente vencedoras numa competição com dados quando se trata de apresentações. O político que personaliza sua história com o relato de um evento real "captura" as manchetes. Apresentações de negócios devem ser baseadas, quase por definição, na verdade (a não ser, é claro, que você seja a Enron ou uma dessas corporações que se enroscam em sua própria propaganda enganosa). Como é que você transforma uma liturgia de cifras e "declarações de missão" (ai meu Deus! Elas, não!) em uma narrativa, uma história que prende a atenção, inspira credibilidade e, como se espera, faz a empresa progredir?

O conselho que já dei cabe aqui também, mas, se quer chegar à excelência, então você tem de ir além de simplesmente usar um processo mecânico. Você precisa aprender como funciona a interação entre a história, quem a conta e a plateia.

dica

Faça sua história soar fresquinha e nova – como se tivesse acabado de acontecer e também como se tivesse acabado de acontecer com você.

A história incendeia a imaginação?

As crianças são os críticos mais destemidos e mais capacitados para dizer se uma história é boa ou ruim; por isso, conte a sua a uma delas. E como os críticos mais impiedosos são os adolescentes, se você quiser mesmo testar o grau de estresse de uma história para ver se ela é aborrecida ou irrelevante, pergunte a adolescentes o que acham dela.

> **dica**
> Pergunta: adolescentes de catorze anos conseguiriam seguir sua linha de raciocínio? Em caso positivo, eles se dariam a esse trabalho? Se a resposta for não, você tem um problema.

Nessa era dourada e cheia de energia juvenil da arte de contar histórias, o teste de fogo de uma boa história é se ela se mostra inspiradora ou não – o fenômeno Harry Potter é prova suficiente disso. No nosso mundo sofisticado, de alta tecnologia, fábulas de bruxaria de baixo escalão deslumbraram gerações. Demonstraram também que muitos adultos têm mentes "infantis" e nem por isso são cidadãos de segunda classe. Quando os romances de Harry Potter saíram, eles foram para o topo das listas de mais vendidos na França e na Alemanha – não as traduções em francês e alemão (publicadas cerca de oito meses depois), mas o original em inglês. Imagine pobres jovenzinhos em Marselha ou Munique lendo aqueles tomos de seiscentas páginas lentamente, palavra por palavra, apenas para ficar por dentro da história.

Torne-se um estudioso de histórias

Preste atenção às histórias que as pessoas contam no trabalho, em casa, no boteco – seja lá onde for. Estude por que algumas funcionam, e outras, não. Por que algumas são notáveis, e outras, não. Preste atenção a comediantes e assista aos noticiários. Torne-se um "viciado em histórias". Aprenda o que parece funcionar e, então, adote a regra do contador de histórias e tente ganhar a atenção da sua audiência por meio da simplicidade, convicção e força narrativa das suas histórias.

> **dica**
> Conquiste a atenção da sua audiência por meio da simplicidade, convicção e força narrativa das suas histórias.

E treine, treine, treine. Leva um bom tempo arrumar uma boa história que se torne irresistível, mas insista com ela porque vale a pena. E não se esqueça de testá-la com crianças ou adolescentes. Estabeleça para si mesmo um "teste de histórias". Pergunte-se continuamente se as histórias que você conta contêm os "elementos de uma história excepcional".

Os elementos de uma história excepcional

Ela precisa ser:

- interessante;
- relevante;
- surpreendente;
- envolvente;
- cheia de ação e reação;
- bem estruturada;
- memorável;
- capaz de fazer exigências da sua plateia – bem, você quer que as pessoas façam alguma coisa como resultado dela, não é verdade?

As melhores apresentações são histórias excepcionais

Algumas das melhores apresentações que eu já ouvi eram histórias de descoberta e aprendizado. Outras eram sermões – uma das grandes formas de arte de todos os tempos, por meio da qual se planeja uma história de dez minutos para fazer você sorrir e franzir as sobrancelhas, pensar e lembrar em diversos níveis.

Uma das melhores que ouvi diz respeito ao ex-jogador de rúgbi, empresário e executivo irlandês dos ramos de comunicações e alimentos Tony O'Reilly (sir Anthony Joseph Francis O'Reilly). Ao se apresentar, ele usava com maestria seu passado como integrante de destacadas equipes de rúgbi como Irish Lions, British Lions, falava com fluência sobre o esporte e sobre um amigo, o grande poeta, escritor e dramaturgo também irlandês Brendan Behan (1923-1964), morto de maneira prematura aos 41 anos por problemas com alcoolismo. Tony O'Reilly misturava tudo isso, de maneira muito competente, com observações de arguto conhecedor sobre o mercado de mercearias.

Eu adorei a história – provavelmente apócrifa – a respeito de quando ele começou na multinacional de alimentos Heinz como um funcionário muito jovem determinado a ganhar as atenções de um chefe *workaholic*. O'Reilly entrava de fato bem cedinho – digamos, por volta de 6h30 da manhã – e se deixava ficar com a cabeça voltada para sua mesa quando seu chefe passava pouco depois das 7. Após ter marcado presença dessa maneira, por volta de 7h15, O'Reilly ia discretamente a uma parte silenciosa do prédio para um cochilo de uma hora. Isso é estilo. E revela também muita percepção.

Excelente "isca de memória", mas qual é a história?

Uma das apresentações mais interessantes a que já fui aconteceu nos escritórios da M&C Saatchi's Golden Square, onde a School of Economic Science realizou um evento.

Graham Fink, diretor de criação da M&C Saatchi, falou primeiro e muito bem, sem anotações, mas com bastante tensão nervosa. Ele acentuou a importância da criatividade, afirmou que era muito criativo (e é mesmo) e mostrou alguns anúncios. Enquanto isso, havia uma senhora de meia-idade com o cabelo bem arrumado, envolta em uma echarpe, sentada no palco, que tricotava e ignorava o que se passava em torno dela. Era a mãe de Fink. A razão por que ela estava lá era para atrair nossa atenção. Ela era charmosa, mas só tinha relevância como "isca de memória". Concluí que só iscas de memória não são suficientes.

A arte de contar as coisas como elas são – com competência

O reverendo Michael Mayne (1929-2006), da Igreja da Inglaterra, antigo deão de Westminster, só falava com roteiro completo e minucioso. Ele lia o roteiro – cada palavra dele –, mas todas eram carregadas de significado. Ele descrevia com maestria como experiências transcendentais poderiam ser vividas, em intensidade virtualmente igual, por meio de arte, da música e da poesia requintadas, assim como de manifestações espirituais propriamente ditas. Vê-lo e ouvi-lo era algo mágico, uma cornucópia de prazeres, quando a gente se sentava aos pés desse gênio.

Como as histórias mudaram

Hoje, as plateias têm menos tempo. Muitos livros são longos, como as grandes histórias do romancista galês Ken Follett, mas, em linhas gerais, as apresentações longas deram lugar a eventos de mais fácil entendimento.

O TED (Tecnologia, Entretenimento & Design, já citado) teve enorme influência nisso, pois fez apresentadores aprenderem a trabalhar sem anotações e a contar histórias bastante pessoais sobre coisas que moldaram, mudaram ou transformaram sua vida. Sir Ken Robinson, conhecido autor de vários livros e com renome internacional, obviamente seria capaz de dissertar por anos a fio com seu estilo absolutamente simples, seu jeito de conversa e que procura envolver o interlocutor, falando sobre criatividade, o tema que ele conhece e ama.

Até propostas diretas de vendas ou análises de desempenho de vendas podem agora ser expressas com mais dramaticidade e, dessa forma, ganhar ângulos novos e muito interessantes. Ou seja, não há a menor necessidade de ser chato.

dica
Fale sobre o que você conhece; faça-o de maneira interessante e com intensidade dramática.

Alguém que conhece e ama seu tema é a chave para o novo mundo da arte de fazer apresentações; alguém que é claramente especialista e apaixonado pela tarefa de contar a história de sua jornada. Passamos do mundo mais objetivo do passado recente a outro, mais subjetivo: Steve Jobs falando na Universidade Stanford sobre sua vida e seus pensamentos em relação à morte depois de seu transplante de fígado; a atriz Jill Baker e sua experiência de quase-morte após sofrer um derrame – e então, quando estamos totalmente fascinados por essa história angustiante, ela vem com um guinada hiperdevastadora: "Sabe, eu não parava de pensar: 'Isso é tão legal, porque, é claro, eu sou cirurgiã de cérebro'".

A voz do sucesso

Pessoas pagam muito dinheiro ou fazem longas viagens para ouvir personalidades como o ex-presidente dos Estados Unidos Bill Clinton, o empresário e investidor americano Warren Buffett, o ex-primeiro-ministro britânico Tony Blair, Jack Welch (ex-executivo principal da General Electric), o jornalista, autor e apresentador britânico Malcolm Gladwell ou o ex-secretário de Estado americano Henry Kissinger. Isso porque eles sabem do que estão falando. Eles ocuparam cargos importantes e conhecem muita coisa. Eles têm visão geral. Nós simples mortais talvez não cheguemos a ser estadistas de estatura mundial ou autores que vendem muitos livros, mas com certeza vamos conseguir reconhecimento por sermos extraordinariamente bem informados em áreas-chave.

dica
Ganhe reputação devido a um conhecimento específico e desenvolva-o.

A voz do aprendizado

Sempre vale a pena ouvir as vozes dos acadêmicos bons e habilidosos – os melhores do IMD (International Institute for Management Development), na Suíça, ou da London Business School falaram com os mais poderosos, os maiores e os mais vulneráveis – e os observaram. São diagnosticadores do sucesso e agentes funerários do fracasso. Quase sempre vale a pena ouvi-los, com suas memórias cheias de anedotas, aprendizado e análises.

A maneira como eles tendem a ver mudanças nas coisas tem, em termos do dia a dia, menos a ver com contar uma história e mais com "compartilhar ideias". Mas, para audiências maiores, devido a acadêmicos se transformarem em astros midiáticos, o palco deles se tornou agora um lugar onde os mistérios do universo, do corpo humano ou da história do homem se converteram em histórias épicas e de TV popular. Apresentadores britânicos como David Starkey, Brian Cox e Susan Greenfield levaram ciência e história aos integrantes de uma classe social que alguns chamam com certo desprezo de "gentinha". Mas quer saber de uma coisa? Todos eles são grandes apresentadores e grandes contadores de histórias porque tornam o insondável fácil de entender sem fazer a plateia se sentir inferiorizada.

dica

Aprenda como tornar fácil de compreender o que é difícil de entender sem falar "de cima para baixo" para as pessoas.

A voz de um vencedor

Os grandes atletas olímpicos Colin Jackson, Sally Gunnell, Amy Williams, Leon Taylor, Steve Backley, Roger Black, Greg Searle e outros tornaram-se bons contadores de histórias, pessoas que difundem aquela experiência e esforço singulares com requinte, drama e humor, pois sabem, é claro, que têm uma grande frase de efeito para sua conclusão – e também nisso conseguem desempenhos dignos de medalha de ouro.

É sempre uma batalha contra obstáculos: falta de dinheiro, ausência de recursos, ferimentos, perda da forma ou colapso da confiança. É um grande homem ou uma grande mulher, sob o peso das circunstâncias, que luta contra a adversidade e vence. É bem como nos antigos filmes de faroeste – um só "mocinho" contra muitos bandidos.

É também inspirador. A fórmula de talento, dor, fracasso, medo, antecipação e sucesso levada adiante pelo ator principal num drama contribui para compor uma história excepcional, desde que contada tão bem como essas pessoas o fazem. Como Amy Williams, praticante de *skeleton race* – esporte em que os competidores empurram uma prancha numa superfície plana até atingir uma canaleta congelada e, quando esta começa a entrar em declive, deitam-se sobre a prancha e a "manobram" com o corpo, atingindo velocidades de 120 km/h –, quando fala sobre sua preparação. A propósito, queríamos colocar para ela – mas não colocamos – a seguinte pergunta: "E se você quiser fazer xixi quando já está pronta, com aquela roupa especial toda fechada, no alto da montanha?". Mas sabemos a resposta: você dedica anos a treinar a bexiga, de forma que tenha perfeito autocontrole quando necessário.

Adoro a história do galês Colin Jackson, que correu ao encontro de seu herói, o decatleta britânico Daley Thompson (medalha de ouro na modalidade nas Olimpíadas de 1984 e 1988) para lhe mostrar a medalha de prata que tinha conquistado nos 110 metros com barreiras nos Jogos Olímpicos de 1988. Thompson lhe disse: "Puxa vida, eu não sabia que também faziam moedas nessa cor, filho". Impagável.

recapitulando

Muitos de nós sabemos contar histórias bem melhor do que nós mesmos pensamos. Essas histórias não precisam ser originais (nenhuma das de Shakespeare era), mas elas têm de ser boas, sólidas, bem estruturadas e bem narradas. Contadores de histórias dão a si mesmos tempo e espaço para ter bom material. Veja a Bíblia, por exemplo, que está cheia de belas histórias. Ou então o poema épico *Paradise lost* (Paraíso perdido), de John Milton (1608-1674), uma grande história que também é muito excitante. Ou a série *Dark materials* (Materiais sombrios), de Philip Pullman, que para mim é puro Milton reencarnado.

Outro grande contador de histórias é o americano Tom Peters, especialista em gestão e autor de livros sobre o tema. A força da mensagem que ele passa ao se apresentar talvez seja um fator maior para seu sucesso do que a sua capacidade de dissecar uma situação de gerenciamento. Ele conta uma história envolvente atrás da outra. Também adoro a história pessoal dele. Certa vez, ele disse: "Imagine a inscrição na lápide do seu próprio túmulo". E revelou qual queria para si mesmo: "Tom Peters – ele encarava a jogada". Que epitáfio perfeito; que belo clímax para uma história.

Eu o ouvi falar há algum tempo em Amsterdã e o achei muito bom. Ele fez uso notável de anedotas e de sua vívida experiência em companhias como a Southwest Airlines. A propósito, foi seu compatriota Herb Kelleher, cofundador e por um tempo presidente da Southwest Airlines, quem lançou a frase imortal, pé na terra, destituída de jargão: "Sim, nós temos uma estratégia aqui – nós fazemos coisas". Lembre-se, da próxima vez em que for se apresentar: se você não tem uma história, você não tem uma apresentação. Não importa se está compartilhando um produto, uma ideia, uma situação de vendas, uma iniciativa de negócios ou um anúncio – conte uma história. Se insistir em ser chato, o risco é seu. O mundo aprendeu a ter maiores expectativas.

CAPÍTULO

8

Como dar
cor
à sua história

HÁ CADA VEZ MAIS bons apresentadores por aí hoje em dia. Esses apresentadores conseguem promoções e melhores empregos. Eles fazem evoluir a carreira enquanto estão no palco. Embora muitas pessoas tenham aprendido a dominar a maior parte dos aspectos da arte de fazer apresentações, só se consegue o diferencial competitivo real por meio de uma capacidade incomum de dar à sua história e à sua apresentação um colorido que a distinga. Ou seja, o toque extra que faz a audiência se sentar com as costas retas, em posição de total atenção, e realmente se lembrar do que você diz.

A montagem de uma apresentação quase excepcional

Suponha que você tem uma boa história que já testou em todo o seu limite ao se assegurar que sua lógica é sólida, que ela está bem estruturada – e que até seu primo adolescente concorda que não é totalmente chata. Ela obedece a todos os princípios técnicos da arte de fazer apresentações:

- é relevante para sua audiência;
- tem uma mensagem clara;
- você aplicou a regra "menos é mais" com tanto rigor que agora ela está incrivelmente enigmática;
- está com dez minutos de duração, embora tenham solicitado que você fale durante meia hora;
- não tem desvios de percurso, irrelevâncias, não tem sombra de nada, a não ser de... cinza.

Em resumo, ela tem uma bela estrutura e é bem provável que seja tão sem gosto como seria um gole de água torneira - quer dizer, totalmente clara e inodora, com apenas um leve gostinho lá no fundo (bem, essa apresentação soa como algo que muito provavelmente já deve ter passado por pelo menos umas trinta plateias). Qualquer um pode fazer isso – até um *dalek* (raça fictícia de mutantes extraterrestres, na série de ficção científica britânica *Doctor Who*).

Na verdade, um *dalek* provavelmente faria isso melhor.

Uma apresentação nua é como paredes nuas

Este capítulo fala sobre como colocar ornamentos intelectuais e colorido retórico na sua história simples – o detalhe sutil que a transformará de linha de trama em narrativa que prende a atenção da mente da audiência. Em outras palavras, algo que tem cor, perspectiva e ênfase. Algo que acentua e ameniza ao mesmo tempo com inteligência emocional e lógica sólida, que tem certeza a respeito de para onde vai, de qual será seu destino final, mas que contém igualmente surpresas e desvios de percurso interessantes ao longo do caminho.

Falar de cor me faz lembrar um compositor e regente clássico contemporâneo, o americano Erich Whitacre. Ele se parece com um astro do rock. De fato, ele queria mesmo ser um astro do rock. Na universidade, disseram a ele: "Junte-se ao coral". Ele respondeu: "Não, eu quero ser um astro do rock". E então lhe disseram: "Tem muitas garotas gostosas no coral, e logo vai haver uma viagem ao México com todas as despesas pagas".

Assim, Eric entrou para o coral. Ele ficou entre os baixos e lamentava bastante sua decisão, até que o coral irrompeu com o "Kyrie" do *Réquiem*, de Mozart. Ele conta: "Foi como se de repente o technicolor tivesse invadido o meu mundo que era preto e branco. Aquele momento mudou tudo".

É isso que toques de cor podem fazer.

dica

Cor, atmosfera e suspense são os elementos que transformam uma mera linha de enredo em uma narrativa que prende a atenção da mente da audiência.

E como é que você encontra esses ornamentos? Como disse o poeta galês Dylan Thomas (1914-1953), "vamos começar pelo começo". Pela hora do café da manhã.

Trabalhe na hora do café da manhã – comece cedo

Leia tantos jornais e revistas quanto puder. Recorte e arquive as boas histórias que encontrar. Um dos fatores que dão frescor a qualquer história é algo contemporâneo, algo que acaba de acontecer, algo recente – que demonstre uma tese que você queira provar. Aja com rigor ao escolher as histórias, para que elas façam com que você pareça sempre atualizado. Melhor ainda se, durante a apresentação, você lançar: "Isto apareceu hoje no jornal ou revista tal, deu na TV ou no rádio etc. O que vocês acham? Deixem-me fazer apenas três observações a respeito".

Existe algo em torno desse "frescor matinal" que é sempre cativante. Isso coloca você como a pessoa "com quem está a bola". Também dá ao que você fala uma perspectiva autorizada e o coloca no papel de comentarista, não apenas de apresentador.

Um senso de curiosidade 24 horas por dia, sete dias por semana

Não suponha que qualquer coisa esteja garantida. O senso de curiosidade faz uma apresentação de negócios fluir como música. A curiosidade desencadeia visões peculiares, é o guia para a descoberta do que é incomum, a história ou fato que consegue cativar uma plateia. O valor da curiosidade está na famosa frase atribuída ao ator inglês Michael Caine: "E não são muitas pessoas que sabem disso". Senso de curiosidade significa manter olhos abertos e ver o que mudou, o que ficou na mesma, o que é novo e o que foi relançado.

dica

Transforme-se numa máquina de perguntas e numa caixa para acumular histórias provenientes de noticiários.

Olhe. Ouça com atenção. Questione. Como Andy Stefanovitch. Ele é cofundador de uma consultoria americana chamada Prophet. Ele fala sobre a necessidade de uma "mentalidade de museu", aquele estado de espírito que nos faz ficar excitados com descobertas novas e icônicas. Ele afirma que tira um mês de folga por ano com a família não para ir à praia, mas a Nova York, apenas para observar as pessoas e absorver tudo o que puder de arte e teatro. Ele garante que procura se manter "empanturrado" e não recusar nada do que encontra. Ele é o Sr. Curiosidade em pessoa.

Seja como Andy, que diz: "Experimente de tudo para desenvolver empatia com todo mundo". Bem inspirador.

E material de inspiração é do que as plateias precisam

Pouco tempo atrás, uma cliente me perguntou como se poderia conseguir envolvimento real da audiência num seminário relativamente pequeno. Quando eu disse "Bem, você pode começar distribuindo doces", acho que ela pensou que eu tinha enlouquecido. É claro que o que eu estava sugerindo era interação. Doces, chocolates, qualquer coisa parecida serve – até pequenas degustações valem, desde que isso seja relevante. Degustar um Bordeaux comum e um grande vinho da América do Sul que estejam com o mesmo preço é uma bela maneira de começar uma apresentação ou debate sobre a nova ordem e como as coisas mudam hoje em dia. Para tornar isso de fato interessante, você pode incluir o vinho Great Wall (Grande Muralha) chinês – velho mundo, novo mundo, próximo mundo. (Pensando bem, está aí uma apresentação realmente assustadora, e eu bem que gostaria de comparecer a ela.) Dê a eles sorvete, se estiver fazendo calor, e em seguida conduza um debate sobre mudança climática. Faça a sua apresentação, mas encoraje interrupções e perguntas à medida que avança.

Seria bom você ter um dispositivo para que o que você fala vá diretamente para o Twitter, como a RSA (Royal Society for the Encouragement of Arts, Manufactures and Commerce) adotou há pouco tempo no Reino Unido. Eles também introduziram o RSA Animate, aparelho que leva slides a uma nova dimensão – dê uma olhada. Cor-

Como dar cor à sua história 119

ra riscos, seja imaginativo, faça pesquisas sobre questões em destaque, mostre os resultados na tela. Iniciativas desse tipo criam tensões e excitações impressionantes e, por alguma razão, ao que parece todos nós gostamos de ver números assim. Envolva sempre a audiência. Faça entrevistas ao vivo – peça que pessoas subam ao palco ou passe o microfone pela plateia. Pense de forma diferente sobre o papel de apresentador. Matthew Taylor, político trabalhista e executivo principal da RSA, estabeleceu novos parâmetros como facilitador e palestrante de primeira linha. Seja como ele.

Torne-se mestre de cerimônias, não fique apenas como apresentador.

■ Lista de controle

■ *Procure pensamentos e citações de peso e fique de olhos e ouvidos abertos para as grandes ideias que surgem.* Leia os livros sobre gestão mais notáveis e mais capazes de despertar ideias que encontrar. Como aspirante a "apresentador de alto escalão", você não tem escolha, a não ser tornar-se um ávido consumidor de obras de pensadores-chave do pensamento atual – de Steve Levitt a Malcolm Gladwell, de Thomas Friedman a Matt Ridley, de Jim Collins a Sean Meehan, e por aí afora, a lista não para de crescer. Essas pessoas lhe darão novas visões e pensamentos; ou simplesmente vão lhe proporcionar ideias para esplêndidos slides. Você não precisa ler esses livros de ponta a ponta, é claro, mas apenas aprenda a ser um grande "escaneador".

■ *Não há nada mais excitante que ser levado a uma jornada "apresentacional" visualmente cheia de aventuras.* Fique sempre atento a figuras de impacto, grandes mudanças e tendências. Todas elas estão ao nosso redor, mas é raro pensarmos nelas ou termos coragem de usá-las – imagens de esportes, de desastres naturais ou provocados pelo ser humano ou qualquer coisa que tenha aquele fator "uau" – a lista é mesmo interminável. Alguns são antiquados, e alguns, atuais. Alguns serão já conhecidos – de *O grito*, de Edvard Munch, a *Guernica*, de Pablo Picasso, aos cordeiros do inglês Damien Hirst, aos crepúsculos de outro pintor inglês, Joseph Turner, ou à cama da artista visual inglesa Tracy Emin. Procure sempre imagens novas que chamem a atenção, em especial as mais recentes, que terão ressonância imediata na sua audiência. Saia também "à caça" de boas soluções visuais em publicações, como, por exemplo, o *Financial Times*, que apresentem bons trabalhos de design gráfico para falar de resultados financeiros.

■ *Nessa nossa área digital, um caderno de anotações de ideias vai muito bem.* Mantenha um com "ideias notáveis" a seu lado, em que você reúne as grandes citações e visões que recolhe. Não porque tenha de anotar tudo o que vê, mas porque você nunca sabe quando isso pode ser útil como recheio de uma apresentação. Por exemplo, se você fala sobre a importância da velocidade nos negócios hoje, Mario Andretti, um dos grandes pilotos da Fórmula 1 no passado, disse: "Se você está no controle, não está indo rápido o bastante". Essa frase é parecida com o comentário feito ao campeão de patinação no gelo inglês Robin Cousins, de que ele não conseguiria se impor internacionalmente porque "patinava para não cair". Considere essas duas citações e o que elas significam. Você conseguiria fazer uma apresentação concentrada apenas nessas duas frases? Ou suponha que tenha havido um "casamento corporativo". Adoro o comentário de Anthony Hilton, que escreveu no *Evening Standard*, a respeito de tomadas de controle e fusões: "O almoço vem imediatamente; a conta vem mais tarde".

■ *Leve em conta que palavras demais na tela fazem você diminuir o ritmo.* Por isso, elimine slides pesados. Jack Welch conta histórias sobre como ele e seus colegas passavam horas na tentativa de refinar um só gráfico para que resumisse todo um pensamento estratégico. Encontrar uma maneira de falar sobre, digamos, uma nova estratégia de pessoal pode resultar em algo tão árido quanto o Saara quando expresso em *bullet points*; mas, por meio de contrastes entre duas formas ou, se o seu pessoal for mesmo muito bom, criar uma imagem a partir de um triângulo (estrutura normal) que se transforme em, digamos, um círculo (estrutura do século XX) vai dizer muito mais, com mais rapidez e clareza do que você imagina. Além disso, materiais interessantes, em especial recursos visuais, oferecem melhores possibilidades para você "dialogar" com eles.

- *Não subestime a importância dos programas.* Acho até que os próximos virão impressos em material inflável – e seria mesmo uma maneira muito bacana de fazer um programa para uma conferência global. Eles são a chave para as expectativas; no entanto, ironicamente, a maioria das pessoas considera o programa apenas um extra necessário que fica meio fora de contexto na "gaveta de manutenção doméstica da conferência". Mas como você se sentiria em relação a um restaurante com um cardápio deselegante e desorganizado? O seu programa é o seu menu. Trate-o como um meio de prever como vai ser a reunião – séria e cheia de dados ou divertida e inovadora, sobre pessoas ou sobre planos de negócios, sobre o futuro ou uma revisão do passado. O seu programa é a capa externa destacável para o livro que você vai lançar; por isso, trate-o com grande respeito e produza algo que pareça bem pensado, que chame a atenção e seja importante. Em reuniões recentes, vi programas laminados, de bolso, que servem como marcador de páginas – qualquer coisa que leve você do prosaico à terra do possível.

- *Bons brindes destacam uma grande apresentação.* Não esqueça esse item. São lembranças do evento; em reuniões de analistas, são necessárias versões impressas da apresentação para que eles possam fazer suas copiosas anotações. Mas os brindes representam uma parte pequena de todas as reuniões e apresentações que a maior parte das pessoas precisa fazer. O que toda apresentação necessita é um *follow-up* elegante, e eu adoro os itens que Martin Conradi, da Showcase, inventou – ele os chama de "*lunch-books*" ("livros para almoço"), porque são encadernados em espiral, tamanho A5 e fáceis de manejar, de modo que você pode usá-los enquanto almoça, sem derrubar a água ou qualquer outra coisa em cima. Eles contêm os slides e tantos apêndices quanto necessário.

- *Procure criar um momento na sua apresentação que você mesmo espera com ansiedade para introduzir: um momento para todo mundo lembrar.* Tenha sempre na memória o poder da "cena de efeito". Por exemplo, em todo filme de James Bond sempre há uma sequência que faz as pessoas se sentarem na borda das poltronas – aquela sobre a qual todo mundo fala a seus amigos: "O filme é mais ou menos, mas a parte em que eles deslizam sobre a geleira num trenó em alta velocidade é incrível". A mesma coisa acontece com apresentações: sempre estamos à procura de efeitos carismáticos que fiquem na lembrança. É claro que eles *nem sempre* são apropriados, em especial quando temos plateias pequenas, para as quais qualquer pirotecnia vai parecer supérflua. Mas, para audiências maiores, você vai precisar não só daquele slide "matador", mas também daquele momento de impacto – talvez tirado de um de seus filmes favoritos. Uma alternativa é a animação. Pouco tempo atrás, fiz uma animação sobre "um ponto a sugerir" bem brega, mas muito eficiente. Nela, o cliente usava uma gangorra incrivelmente difícil para levantar, até que de repente ela se move, e tudo o mais se segue. Brega, sim, mas memorável.

Expus acima os grandes pensamentos e ideias sobre como dar cor à sua apresentação, como infundir nela energia e vida. Mas quero que você pense em como criar excitação ainda maior na plateia e em como continuar a conseguir efeitos excepcionais.

Mostre frescor. Seja criativo. Seja espontâneo. Seja gentil

- *Mostre frescor.* Pense em cada apresentação como se fosse nova, não como se você fosse simplesmente "reciclá-la". Uma apresentação será sempre ampliada por aplicações individualizadas de colorido, porque vai parecer "cozinhada agorinha mesmo", em vez de lembrar "comida pronta", um produto vindo de algum tipo de "fábrica de apresentações" ou, pior ainda, sobras congeladas de um evento anterior.
- *Seja criativo.* pense de forma criativa sobre sua apresentação. Nós vivemos num mundo de crescente sofisticação. A maioria de nós

processa informações cada vez mais enigmáticas. Costumava-se dizer: "Informação é poder". Isso pode ser verdade para o Google, mas, para o resto de nós, clareza e criatividade é que são de fato poderosas. A informação está lá para ser usada. Por isso, use-a – use-a para intrigar e educar; use-a para tornar suas apresentações mais divertidas e mais cheias de vida.

dica
Fatos vendem, fatos chamam a atenção. Seja específico: tempo, lugar, temperatura.

■ *Seja espontâneo.* O jogo de cintura por si mesmo já dá aquele colorido. Uma das apresentações mais vibrantes que vi nos últimos tempos, com muito colorido, foi feita por Matthew Taylor na cidade de Brighton, em que ele falou sobre "o enregelamento branco da austeridade" e sugeriu que o descompasso entre o desejo da Grã--Bretanha por seu futuro e a sua trajetória atual só seria eliminado por meio de um entendimento mais rico da natureza humana. Matthew fala com clareza, mas visivelmente de improviso. Ele cria um senso maravilhoso de espontaneidade. E, de novo, Andy Stefanotvitch: ele se lembra de um folheto criado por um estudante que ele achou numa loja Starbucks. Dizia: "Grátis – tiras de papel em branco. Úteis para 100 coisas. Marcadores de livros. *Roll-ups.* Pequenas bandagens. Decorações etc.". O texto fez Matthew rir tanto que ele quis contratar o garoto que o tinha escrito. Tiras de papel em branco grátis. Maravilhoso desempenho espontâneo.

dica
Clareza de pensamento é algo realmente poderoso; clareza com jogo de cintura, mais ainda.

■ *Seja gentil.* Margaret Heffernan, empresária e escritora, e suas colegas de painel como Kirstin Furber (da BBC), numa conferência sobre mulheres e sobre por que o futuro é feminino, foram espertas e foram gentis. CQD (Como queríamos demonstrar). Os sorrisos e o charme delas deram colorido e modéstia exatamente onde eram necessários. Tons pastel de cor. Margaret refletiu que hoje "gentileza é o que mais importa". Esperemos que ela esteja certa.

dica

Não tenha como objetivo ser bom o bastante, porque bom o bastante... não é bom. Ser capaz de dar colorido, tornar-se memorável e excepcional é o alvo.

recapitulando

A moral da história é fazer as seguintes perguntas a si mesmo e a sua equipe naquele primeiro encontro fundamental, quando você está escrevendo a preleção inicial para sua apresentação:

- Conseguimos lembrar que, seja lá o que for que fizermos, isso será excepcional?
- De que modo vamos fazer com que essa apresentação seja diferente, com que ultrapasse as expectativas?
- Como, em algum ponto, daremos a ela aquele fator de "uau" realmente extra?
- Como conseguiremos que a audiência diga: "História muito boa, muito interessante e memorável também?".

Lembre-se de que o colorido em geral vem da capacidade de descrever e fazer alguém sentir como se ele mesmo tivesse estado lá (seja o que for que esse "lá" represente). É por isso que Leon Taylor, mergulhador que conquistou medalha de prata numa Olimpíada, provoca tanta ressonância quando descreve a tremenda sensação de dor ao mergulhar de costas num piscina, de uma altura que corresponde à de dois ônibus e meio de dois andares e de alcançar a velocidade de mais de 60 km/h no momento do choque com a água. Taylor reveste sua história de colorido, impacto e personalidade.

CAPÍTULO

9

Como ilustrar a sua
apresentação

A ÓPERA É UMA NARRATIVA trazida à vida por música. Há uma poderosa simplicidade em muitas histórias operísticas, mas é a música que lhes dá complexidade emocional e as faz voar. Grandes acessórios visuais, um pouco como a música na ópera, podem levar sua retórica e sua argumentação a um nível mais alto do que se você simplesmente se basear na palavra falada (embora apreciadores de ópera possam estremecer com essa comparação). O que a ópera não faz é dizer as coisas pela metade. Nem você deverá ser assim como apresentador. As apresentações promovidas pelo TED (Tecnologia, Entretenimento e Design) são "árias apresentacionais" – e é por isso que funcionam. A mesma coisa acontece com os blogs. No mundo de hoje, nos concentramos numa abreviatura para atrair as pessoas a uma proposta.

Pense em si mesmo como o ponto focal

Mesmo que você de fato não tenha nenhum slide, não imagine nem por um momento sequer que o que faz é uma apresentação não ilustrada – se não tem acessórios visuais, sejam eles slides ou outras ferramentas de apresentação, como vídeo ou itens tangíveis, você tomou a decisão de fazer com que *você mesmo* seja a ilustração. Sua aparência, sua linguagem de corpo, o que veste e a maneira como se comporta terão mais importância que o normal.

Quanto a precisar realmente de slides, isso depende de você se sentir mais confortável com eles e – muito mais importante – se eles vão acrescentar alguma coisa à história e torná-la mais fácil de entender e aceitar. É um momento do tipo "você decide – e só você pode fazer isso".

> **dica**
>
> Você é o ponto focal, a pessoa que eles vieram ver. Não os desaponte, não pareça desarrumado, não se apresente rabugento e sem charme.

Slides ruins diminuem o seu ritmo

Curiosamente, algumas pessoas parecem considerar slides como mero acessório de uma apresentação – uma espécie de "mal necessário", um acréscimo de última hora (como se alguém dissesse: "Ei, Mozart, você já fez a música?"). É algo muito estranho. Visuais de boa qualidade e incisivos ajudam a impulsionar uma apresentação, a torná-la mais fácil de entender e a deixá-la mais atraente do que se não houvesse nada disso, mas visuais de má qualidade retardam tudo; é um pouco como dirigir com o freio de mão puxado.

> **dica**
>
> Visuais de má qualidade retardam tudo, como se você tentasse dirigir com o freio de mão puxado.

Da mesma forma, qualquer um consegue – ainda que meio na base do remendo – juntar alguns slides que até são meio decentes, de tipo convencional, muitos deles cheios de palavras e agrilhoados por *bullet points*. Eles são o equivalente, em termos de apresentação, a policiais que dormem... Então, a dirigir com o breque de mão puxado se acrescentam policiais que dormem – até que ponto isso ainda pode piorar?

Slides profissionais ajudam

Em contrapartida, um operador realmente habilidoso consegue, com experiência, fazer uma apresentação com PowerPoint ficar maravilhosa. Eu trabalhei em publicidade, e constantemente dava aos clientes o seguinte conselho: "Não tente fazer sua própria publicidade". Como no caso de "cirurgia do tipo faça você mesmo", o resultado não vai ser necessariamente o que você quer.

Por isso mesmo, assegure-se de conseguir pessoal treinado e experiente para criar seus visuais ou pelo menos dar acabamento a eles, se quer que tenham grande impacto. Não tente montá-los você mesmo – a não ser, é claro, que o visual descuidado, amador, seja o que você quer projetar.

A imprecisão profissional tem seu lugar

Curiosamente, muitos acadêmicos parecem ficar bem mais felizes com titulações arranhadas, fora de ordem e que aparentam ser trocadas com frequência. Elas criam uma denúncia muito pública de estilo. Eles acreditam que, ao entrarem em beta, dão ao evento um ar de obra em progresso. O que interessa a eles é que, assim, afirmam que substância e contemplação inacabada é tudo o que interessa...

Por acaso imaginamos que sir Isaac Newton faria uma apresentação toda moderninha com esplêndidos instantâneos de maçãs? Ou ele escolheria uma roupagem antiga? Ou veríamos algo como as estripulias do gênio errático chamado Robin Hankey, professor que conheci em Oxford e que escrevia seus ensaios no sentido normal (da esquerda para a direita) e, então, virava a folha num ângulo de 90 graus e continuava a escrever de cima para baixo sobre o texto anterior?

dica

Vale a pena você transmitir a impressão de que pensa o tempo todo sobre o que apresenta e que ficaria feliz em responder perguntas.

Precisamos dar uma olhada no contexto de uma apresentação se queremos decidir quais são as técnicas visuais mais apropriadas para ela e a quantidade de dinheiro que queremos gastar com isso. Mas há muito a dizer em relação a você dar a aparência de que pensa, ao contrário de dar a impressão que apenas recita uma apresentação cuidadosamente preparada – em especial se o tema é dos mais quentes e atuais.

Menos é mais

Em apresentações que não sofrem restrições por parte de advogados, banqueiros e analistas, certas regras valem e precisam ser reafirmadas. Eu defendo uma abordagem do tipo "menos é mais". Mantenha o número de slides baixo, talvez um por minuto – o máximo de foco e poucas palavras. É elemento-chave usar poucas palavras. Fale em torno de um slide ou em relação a um slide, nunca em cima de um slide ou lendo o que está escrito nele. Nesse último caso, os seus slides se transformam em "roteiro na tela", o que é o pior pesadelo para uma plateia.

Considere substituir palavras por imagens – mas tenha cuidado. A diretora de contabilidade numa importante agência de marketing descreveu, com o horror que apenas um desastre iminente consegue evocar, um evento em que o apresentador disse algo como:

> "O ano passado parecia difícil desde o começo, embora não tivéssemos nos dado conta de como ia ser acidentado, especialmente por causa de alguns clientes e competidores, mas temos como objetivo uma passagem mais suave este ano, com alguns grandes resultados e clientes felizes".

As imagens contidas nos slides que ele usou estão em letra maiúscula abaixo:

> "O ano passado parecia difícil desde o começo [NUVEM DE TEMPESTADE], embora não tivéssemos nos dado conta de como ia ser turbulento [MAR ENCAPELADO], especialmente por causa de alguns clientes e competidores [NAVIO NAUFRAGADO], mas temos como objetivo uma passagem mais suave este ano [MAR CALMO], com alguns grandes resultados e clientes felizes [MULTIDÃO APLAUDINDO NUM PORTO]".

"Foi horrível" [SLIDE COM DIRETORA DE CONTABILIDADE SE SENTINDO MAL], disse ela. Não, desculpe. Esqueça este último slide, aí sou eu me portando como um tolo e aplaudindo, porque isso ilustra de maneira clara como as coisas podem dar muito errado. Pense em animação. Inclua vídeo, se for possível – experimente, por exemplo, falar sobre um outlet varejista enquanto a tela mostra um vídeo do local em alta velocidade. Isso pode funcionar de maneira muito mais poderosa que um gráfico de vendas. Imagine slides com palavras grandes, ousadas, únicas, tais como:

FOCO

Você tem de admitir que essa palavra atrai sua atenção.

Uma das minhas ideias favoritas envolveu uma apresentação para uma firma de contadores, na qual queríamos falar sobre os benefícios da parceria – como, ao trabalhar em conjunto, cliente e contador estabelecem uma sinergia benéfica para ambos. O slide que passou com vigor essa mensagem foi:

$$2 + 2 = 5$$

Importante:
ser incrivelmente flexível

Cada vez mais, conforme verificamos, as conversas se tornam a norma. Kevin Eyres, diretor-gerente do LinkedIn, acha que o planejamento de negócios como costumávamos fazer e como ainda se faz nas grandes corporações é irracional. As coisas já se movem depressa demais para que continuemos a escrever planos válidos para um, três ou cinco anos. Margaret Heffernan, perita em mulheres no trabalho, acha que iniciativas assim são do tipo que machos alfa tomam por conforto. O impacto dessa tendência aparece no modelo de apresentação que se torna mais conversacional e lembra uma pipa voando. Não importa quanto tempo você leve para preparar uma apresentação, esteja preparado para mudá-la antes do evento se houver uma mudança de pensamento ou do próprio evento. Lembre o que disse o economista britânico John Maynard Keynes: "Se as circunstâncias mudam, eu mudo minha opinião".

E você, o que faz?

Situações em que palavras e imagens funcionam melhor juntas

Mike Weekes é perito em programação neurolinguística. Ele é também famoso no mundo todo como alpinista. Numa grande conferência sobre "Desempenho" no complexo Lord's Cricket Ground, ele falou sobre o que é trabalhar com o jornalista e apresentador Jack Osbourne e como colocá-lo de novo em forma. Weekes falou também sobre alpinismo. Nunca esqueci a ilustração que ele usou.

Vimos um slide de Mike galgando um penhasco – de ponta-cabeça, com mãos e pés conectados à rocha. Essa imagem fica no seu cérebro enquanto você olha o slide com uma sensação de horror. Ele conta uma história de quando tinha dezenove anos, na Austrália, quando estava de ressaca (de maconha e cerveja tipo lager), e fez uma escalada difícil com alegria por causa do perigo que isso envolvia... O que aconteceu então?

Um pé escorregou...

O outro pé escorregou...

Em seguida, uma mão escorregou...

Mike ficou pendurado por uma só mão, a uma altura de 120 metros...

("Estou aí com você, Mike, estou com você e estou com muito, muito medo", penso.)

Ele diz de maneira prosaica que pensou que fosse morrer...

("Você é o Mike", pensei, "se você é normal.")

E uma voz na cabeça dele falou:

"Como você sabe, como você sabe?"

Foi, conforme ele disse, como se fosse a voz de Deus.

A essa altura, o braço dele tremia pela ação do ácido lático, e a última mão agarrada escorregava.

Assim, ele balançou o outro braço e agarrou...

E conseguiu manter a outra mão também agarrada na rocha.

O resto é história.

Havia só um slide, mas, ao mesmo tempo, um filme inteiro e um funeral "passavam" na minha cabeça atacada de vertigem enquanto Mike falava, e sua apresentação continua vívida comigo... mais aquelas palavras: *"Como você sabe?"*.

Apresentação de produto

O mestre da apresentação de produto era Steve Jobs. Ele segurava o produto bem perto do rosto, falava dele e o elogiava. Em seguida, a equipe dele distribuía amostras... e ele se calava.

Demonstrações de produtos são uma arte. As melhores delas têm dois minutos de duração em geral, e dentro disso nenhum elemento durava mais que vinte segundos. Elas se concentram em uma ou duas mensagens, fazem comparações reveladores, simples, competitivas e dão um grande recado: "Este produto é o melhor do mundo porque..."

Steve apresentava as coisas em slides, claro, mas usava adereços também.

dica

Use adereços de cena. Segure no ar seu produto... amorosamente.

Como usar adereços de cena

Use adereços de cena: coisas que você pode pegar, atirar, lançar, balançar, examinar, dar à plateia. Adereços forçam você a relaxar, e a audiência, a desfrutar a sua atuação. Use todo o espaço do palco. Faça a apresentação ou fale ao mesmo tempo que alguém faz algo relevante enquanto você descreve seu ponto-chave – como por exemplo um jogador muito bom de tênis de mesa, para ilustrar como esse esporte e a internet são iguais – da mesma forma que age o empresário digital, apresentador e comunicador italiano Marco Montegmagno. Coloque alguém executando malabarismos enquanto você fala sobre a complexidade da gestão; divida sua audiência em dois grupos que concordem ou não concordem com uma proposta e deixe o debate começar... Vale tudo, desde que ilustre o que você quer demonstrar.

Nem tudo que é visual precisa aparecer na tela. Quando for relevante, coloque pacotes de jujubas nas poltronas dos auditórios ou um programa criado especialmente para a ocasião. O neozelandês Nick Horswell, ex-colega e fundador da companhia midiática PHD, certa vez fez uma apresentação que teve seu clímax (não tenho certeza se esta é a palavra certa) com ele saindo do palco – sem as calças – de trás da estante, depois de ter entrado no palco com as calças. Não tenho certeza de como ele fez isso, ou seja, tirar as calças e ainda fazer uma apresentação "decente", mas fez. Basta dizer que Horswell de calças arriadas também fez a casa vir abaixo... O que ele queria provar? Imagino que, com isso, ele afirmou que só porque você não vê alguma coisa seria precipitado assumir que ela não esteja acontecendo de fato.

Não caia na armadilha do unidimensional. Nada excita mais uma audiência do que mágica... quando o mágico tira outro coelho ou seja lá o que for da cartola. Todo apresentador é um mágico de quem se espera que revele alguma coisa nova e surpreendente. Então, pense em maneiras diferentes de revelar sua frase de efeito em vez de apenas mostrar outro slide.

■ Lista de controle

- As imagens têm de ilustrar a história que você conta, e não alguma outra coisa. Deixe claro o que você fala, para quem fala e o que pretende conseguir. Mostrar imagens dos famosos Stormtroopers (tropa de choque leal ao Império, na série *Guerra nas estrelas*), com o slogan "Vamos lá pegar todo mundo" talvez não ajude muito numa apresentação sobre parceria e relações entre acionistas.

- Seus slides precisam ter tanto mais impacto quanto maior for o local. Estabeleça, acima de tudo, quantas pessoas há na plateia, o tamanho do auditório, o grau de inteligência e sintonia da audiência que você tem e se há eventuais dificuldades de linguagem.

- Não seja corporativo demais. Seja você mesmo. Tenho antipatia por *templates* corporativos, que quase sempre encharcam as boas intenções do apresentador num "mingau corporativo". Ainda assim, tenho sido defensor, durante toda a minha vida, de valores de marca. Sou fã apaixonado da Heinz, com a qual trabalhei em vários projetos ao longo dos anos. Não é preciso exibir acintosamente a marca "H. J. Jeinz" no fundo de cada slide com indicadores na forma da famosa pedra angular para sinalizar que se trata de um evento da empresa. De fato, a melhor apresentação deles que já vi foi feita de maneira inteligente, sem constrangimentos desse tipo e, no entanto, transpirava aquele senso de "Não há gosto como o que a Heinz proporciona" ou "Tem de ser Heinz", de um jeito que um recurso mais mecânico jamais conseguiria fazer. Se você faz uma apresentação não corporativa, e sim mais pessoal, opte por um "visual" mais focado, quase feminino. Esse conceito envolve a fonte das letras, cores, ambientação e estilo. Em um capítulo mais adiante neste livro, faço advertências contra usar fontes exóticas e misteriosas, a fim de evitar que, na transferência de uma apresentação de um computador para outro, a fonte não seja reconhecida. Recentemente, descobri um tipo de fonte que, por razões óbvias, parecia muito bom para mim no meu computador – ela se chama "Poor Richard" –, mas eis como apareceu em outro PC: ⌐🐍⑤①🆒④⓪⑤!

Evite se permitir pragas como essa "Poor Richard" – a vida já é dura o suficiente sem você ser um apresentador punk.

■ Se você pensa nisso como trabalho duro e chato, isso vai aparecer. Por isso, desfrute a tarefa de compor seus slides. Pense nas coisas a partir do ponto de vista da audiência. Pense em como fazer as pessoas ficarem do seu lado, em cores, em pontos simples. Você consegue colocar fotos de qualquer uma de suas plateias na tela? Ou do comprador do seu produto? Pense em algo que "fale" à sua audiência.

■ O tempo dedicado a encontrar a imagem certa é tempo bem gasto. Não esqueça: uma imagem vale 10 mil palavras. Mas tem de ser a imagem certa. Se o apresentador está falando, digamos, sobre produtividade, e a imagem de uma cenoura aparece na tela, é bem provável que a audiência fique perplexa. Fiz recentemente uma apresentação na China que, dados os problemas com linguagem, tinha de ser predominantemente visual. O ponto-chave, claro, é que encontrar bons visuais para começar a contar uma história consome muito, muito tempo. Três pesquisadores e eu passamos um tempo indecentemente longo vasculhando a web para encontrar exatamente o que eu queria.

■ Àsvezes, vocêtemdebotarpraquebrar.Nessecaso,procurealgorealmenteimpactante. Éotipodecoisaqueosemprenotávelex-jogador inglês de rúgbi Richard Eyres, hoje diretor não executivo do Guardian Media Group, tem usado em suas apresentações. Eu o vi fazer uma muito boa em que ele falou, entre outras coisas, sobre a criação do site da Capital Radio (tinha de ser algo além de imponente ou mesmo penetrante – algo que fizesse a plateia ficar realmente estonteada, de acordo com os designers). Um executivo da Pearson, como lembro que me contaram, fez uma apresentação altamente carregada de energia, com um novo slide a cada sete segundos ou coisa parecida. "Por favor, não faça isso", imploraram os produtores. Mas ele fez. E me disseram que foi um tremendo sucesso.

- Variação de aparência e tom chama a atenção das pessoas. O que parece uma apresentação perfeita e clara num folheto para levar para casa pode ser o equivalente de um zumbido monótono se projetado numa tela grande. Apresentação é teatro... com pausas... com altos e baixos, pedaços rápidos e pedaços bem lentos. O impacto visual da sua apresentação pode catapultar você às alturas – ou, se for chato, agir como o peso morto de uma âncora de navio. Fuja da mesmice.

- Quando você for transmitir um briefing ao seu designer de slides, vai ficar bem claro o que pode ou o que não pode fazer e se de fato você está com tudo pronto. Faça esse resumo em palavras e imagens concisas. Não há como esperar que seu designer leia todo o seu roteiro e entenda imediatamente o que você quer tentar. Assim, pegue algumas folhas de papel A5 e crie uma série de gráficos bem simples com uma dessas canetas de ponta grossa de feltro. Esse é um truque que o pessoal da Showcase usa para impedir que você coloque palavras demais num slide. O ideal é usar não mais que dez palavras em cada slide – os melhores diretores de criação no mundo da publicidade sustentam que nenhum pôster deve ter mais de seis palavras; então, dê uma olhada em pôsteres atuais. Veja como você se sai ao tentar essa abordagem reducionista. Em seguida, tente de novo, para ver se consegue descobrir oportunidades para inserir diversão visual. Volte de novo a essa parte do trabalho, a fim de verificar se os slides de fato contam sua história.

Se precisa de alguma ênfase especial, então indique onde ela deve ir. Agora, você está pronto para dar aquele resumo ao seu designer de apresentação.

Por que evitar slides pode dar errado

Há muitas razões pelas quais tantos apresentadores ficam nervosos quando se fala de slides:

- A maioria das pessoas está acostumada com comunicação verbal e escrita, não visual (exceto quando têm menos de cinco anos).
- A maioria das pessoas não reconheceria uma boa peça de comunicação visual mesmo que ela lhes fosse esfregada na cara.
- No momento em que alguma coisa vai para um slide, há envolvimento com tecnologia, e as pessoas se preocupam com a possibilidade de que algo errado possa acontecer.
- Não se trata apenas de tecnologia, e sim de estar no controle. Há quem diga: "Prefiro ficar com slides PowerPoint meia-boca que eu mesmo fiz e que posso mudar até o último minuto". Sei o que eles querem dizer, mas será que querem mesmo dizer isso? Querem? Realmente não. Porque ficar na média não é o que quer um aspirante a apresentador excepcional.

■ Exemplo

Um funcionário do Royal Bank of Scotland tinha ensaiado com afinco uma bela apresentação que deveria se realizar num local no estrangeiro. Ele teria tirado dez com louvor pela preparação. Porém, mal subiu ao palco... e as pessoas que comandavam o show conseguiram deixar o computador dele apagar. Tela em branco – crise! Felizmente, ele conseguiu esfriar a cabeça e manter a calma. Eles religaram o computador, e ele apagou de novo – "Caramba!". Você está sentindo seus joelhos fraquejarem? Eu estou. Odeio tecnologia, exceto quando ela funciona direito, e aí eu realmente a adoro.

É um pouco como atuava o ex-presidente americano Gerald Ford, de quem se dizia que não conseguia caminhar e mascar chiclete ao mesmo tempo. Você tem muito a fazer e muito a lembrar – tem de dominar os nervos, as palavras que vai dizer, as coisas que precisa ter na memória e os slides ao quais tem de prestar atenção –, e ainda tem de enfrentar o suspense de que alguma coisa não vai funcionar. Não ria desse pobre presidente, tenha empatia por ele.

Possivelmente, a pior apresentação (há tantas, é verdade, mas uma das piores que já vi) foi a de um homem de publicidade, que recorreu ao visual a toda velocidade, ao apertar seu próprio botão de slides... do jeito errado. O slide final veio antes, e o slide "Bem-vindos", por último. Os slides e as palavras dele não tinham relação alguma entre si. Por alguém ter-lhe dito para nunca olhar para a tela que está atrás dele, ele obedeceu e, por isso, nem tinha ideia do que estava acontecendo. Houve murmúrios a princípio em voz baixa entre os que estavam na plateia e, em seguida, risadas, que ele pensou fossem o resultado de uma piada que tinha contado – e isso só fez encorajá-lo. Ele acelerou ainda mais. Gritou "As vendas vão aumentar", enquanto surgia na tela um slide com uma garota seminua deitada no capô de um carro com a manchete "Motores grandes acendem a gente". As pessoas na plateia se levantaram e gritaram. Isso fez com que ele passasse a falar ainda mais alto e rápido. Alguém se aproximou do palco e tentou ajudar, mas o apresentador resistiu e exclamou: "Vou fazer do jeito que eu quiser".

dica
Trabalhe com profissionais para garantir que seus slides lhe façam justiça.

recapitulando
Você não tem desculpa para ser chato, pois a vida é curta demais para as plateias serem obrigadas a aturar apresentações, anúncios ou pessoas chatas. Vivemos num mundo pós-chatice, em que apresentações do tipo stand-up são a regra. Os padrões não param de subir. O que era considerado uma apresentação excepcional há vinte anos

provavelmente é apenas um bom evento de acordo com os padrões de hoje.

O que você precisa observar quanto à ilustração de suas apresentações é o seguinte:

- reúna uma porção de slides muito bons;
- use tão poucas palavras quanto possível;
- inclua citações (isso é sempre bom);
- curta seus slides e adereços – eles são amigos, não obstáculos.

Isso porque, à parte qualquer outra coisa, o elemento que realmente se firma há anos é o design visual. Todos os tipos de truques são possíveis nesta maravilhosa era de efeitos especiais. Entenda que os slides complementam a sua voz e que, se você realmente procura se destacar, tem de dar atenção especial a eles e à sua produção. Deixe a "voz visual" ter espaço e tempo para se expressar. Bem feita, ela acrescentará dimensão dramática aos outros aspectos notáveis das suas apresentações.

CAPÍTULO 10

Como fazer uma apresentação
excepcional

A MANEIRA COMO VOCÊ se projeta para sua audiência é a chave. Não, ninguém espera de você desempenho de ator profissional, mas espera-se – isto sim – que você seja um apresentador excepcional. Espera-se que você "dê um show" porque é disso que as apresentações precisam – um tanto de realce, um tanto de *drama*, um tanto de presunção e total equilíbrio.

> "Passe sempre uma impressão de confiança."
>
> Barack Obama

Mas representar pode ajudar

O ator americano Dustin Hoffman leva a profissão muito a sério. Quando filmava *Marathon man* (*Armadilha da morte*, 1976), ele tinha de parecer exausto em uma cena. Sempre perfeccionista, ficou acordado a noite toda e chegou ao *set* de filmagem no dia seguinte esbranquiçado, com olhos inchados e morto de cansaço. Seu colega de elenco, o grande ator inglês Laurence Olivier (1907-1989) observou-o e, divertido, lhe disse: "Por que você não tenta representar, caro rapaz? É muito mais fácil".

Num evento em Mumbai, em 2009, numa cerimônia chamada "Os Gigantes de Mumbai", filantropos e pessoas que realizaram grandes feitos receberam tributos por suas obras em favor da cidade, na presença das pessoas mais respeitadas da comunidade. Ali estavam um advogado, um educador, um empresário, um acadêmico, um comunicador, um médico e dois atores de Bollywood (equivalente indiano de Hollywood na indústria cinematográfica); quando um destes últimos chegou, mulheres gritaram e dezenas de *paparazzi* dispararam suas câmeras e flashes. Esse ator, Shahid Kapoor, tem trinta anos, é bonitão e sabe disso; é um astro em ascensão. Ele falou, e aqui está minha lembrança do que ele disse, com certa modéstia: "Sei que ganhei certa fama transitória... Depois do meu último filme, quem mesmo sabe disso?... Mas essa fama abre portas para mim. Eu quero fazer isso por vocês – por qualquer um de vocês envolvidos com a grande obra pelos pobres de Mumbai que vocês realizam. Obrigado por isso e por este prêmio. Estou aqui à sua disposição".

O que atores de cinema têm é o talento para falar bem, de modo claro e direto. Aprenda com eles a ser confiante, equilibrado e a se tornar um bom orador... é um ótimo começo. Quanto a Shahid, todos nós ficamos encantados...

dica
Antes de mais anda, aprenda a falar bem – com clareza e simplicidade. E aprenda a respeitar sua plateia (assim como a amá-la).

Em louvor do trabalho duro (em louvor dos Estados Unidos)

Enquanto a Grã-Bretanha criava o personagem aristocrático e amoral Raffles (ladrão elegante de uma série de livros), os americanos criavam Rockefellers. Enquanto os britânicos defendiam seu império, eles construíam uma economia. Eles trabalhavam realmente duro – e ainda o fazem. Eles não sonham o "sonho americano" – eles o criam, tijolo por tijolo. O sucesso deles se baseia em uma impressionante atenção aos detalhes. Quando você ouvir alguém falar mal dos Estados Unidos – como muita gente faz –, lembre-se da ética de trabalho deles e dê uma olhada em algumas das realizações desse povo.

Essa observação me remete ao ator Al Pacino, que, ao dirigir *Ricardo III*, de Shakespeare, na Inglaterra, reuniu o elenco e disse-

Como fazer uma apresentação excepcional **145**

cou o texto com eles palavra por palavra, examinando significados e motivos até que se tornasse cada vez mais claro o que se passava. Como ele disse a seus exaustos colegas (ele também atuou), Shakespeare não era descuidado nem desleixado. Se uma palavra estava no texto, era por uma razão muito boa. "Descubra qual é essa razão", dizia ele.

A mesma coisa acontece com a arte de fazer apresentações – se uma palavra está no texto, deve ser por uma boa razão. Chegar a ela só será possível por meio de rigoroso questionamento e pela recusa a parar até que se atinja o fundo da questão. Recomendo a você o mesmo rigor na preparação de uma apresentação. Se você trabalhar numa companhia americana, descobrirá que esse exame exaustivo de cada palavra e nuança é lugar comum. Embora – e é claro que há uma desvantagem nisso –, você vá detectar também certo didatismo cansativo nas apresentações deles. Eles tendem a gritar em vez de conversar.

dica

Trabalhe tão duro quanto puder para criar uma argumentação sólida e lógica para a sua apresentação.

O desempenho começa com a maneira como você soa

A sua voz é crucial e, enquanto os atores começam com vantagem, você precisa improvisar e trabalhar a sua voz, como ela se transmite, quantas variações há nela, qual o grau de ressonância dela, se a sua dicção é de fato boa. Ela é potencialmente seu maior recurso – e também seu maior risco. Para a maioria das plateias, ela é tudo que existe de você quando você faz uma apresentação com slides que têm efeito mágico, pois o resto fica na sombra.

No que diz respeito a treinar a voz, a chave é não se intimidar. Decore Shakespeare, ou algum outro autor de sua preferência e declame. Pode ser também a letra de alguma canção popular, de qualquer letrista de que você goste. Decore e tente declamar bem alto – comece a fazer isso no banheiro, e depois fora. Levante a voz e deixe-a sair com teatralidade exagerada. Curta esses momentos. Tudo o que eu quero é que você fique em total controle do conteúdo, de modo que possa se concentrar na transmissão. Por exemplo, imagine recitar um poema conhecido para uma criança, para seus pais, para uma velha senhora, para um namorado, em uma grande igreja para duzentas pessoas, em uma sala de estar para doze pessoas. O exercício está em aprender como transmitir a mesma coisa em diferentes contextos e em explorar a sua própria gama de expressão.

Então, como se sente quanto à sua voz? Eu gosto da minha e me apoio nela. Ela soa bem forte e me dá confiança – consigo brincar com seu alcance e ritmo. Quando ela me foge, por causa de um resfriado ou um ataque de nervos surpresa, meu senso de autoafirmação começa a fraquejar.

dica

Apoie-se na sua voz. Ela é sua amiga. Cuide dela com água e hortelã. Escute-a. Treine com ela. Afinal, é isso que os cantores fazem.

A sua voz é tão importante para você como apresentador quanto seu desempenho esportivo se você é atleta – por isso, cuide dela. Grave a sua voz e ouça a si mesmo. Trabalhe com alguém do ramo, como um fonoaudiólogo se necessário – e provavelmente será. Alguém que diminua o seu ritmo, faça você falar em tons mais baixos. Veja o que sir Gordon Reece fez pela ex-primeira-ministra britânica Margaret Thatcher – ela foi transformada da dona de casa-política de Finchley que, como ministra da educação, suspendeu o leite na escola (e foi chamada de "Margaret Thatcher – ladra de leite escolar"), na estadista que falava com dignidade e paixão. O falecido ex--primeiro-ministro britânico Edward Heath teve aulas de colocação de voz com o mesmo resultado, o que nesse caso produziu um som estrídulo de estadista. Políticos atuais tentam de tudo, de cirurgia nasal a treinamento para fazer com que sua voz soe de maneira mais impressionante.

Argumentos ilógicos surgem numa apresentação

A questão é: "O argumento é sólido?" e não "Isso é boa retórica?". Não se descuide ao criar um argumento e a lógica da sua história. Um teste rigoroso ao construir uma apresentação digna de credibilidade repousa na prática de interrogar sempre a lógica e o fluxo desse argumento.

Não vá para a cama até que você tenha resolvido isso. A Toyota criou "os cinco porquês" para seu processo de inquisição por meio do qual qualquer proposta era intelectualmente "torturada" até confessar sua fraqueza ou sobreviver graças à força de sua verdade, convicções e lógica. Por exemplo, suponha que um jovem executivo planeje apresentar uma proposta para lançar uma linha *premium* de refeições orgânicas resfriadas na próxima reunião da gestão sênior. O chefe dele está cético a respeito do plano e da forma como seu executivo o está conduzindo.

- *Por que* você faz essa apresentação agora que fomos além de nossos recursos?

  Porque as pesquisas mostram que há um grande vazio no mercado para esse conceito, e a margem é muito alta, de modo que há volume incremental e oportunidade de lucro. E eu vou fazer hora extra para garantir que a apresentação seja excepcional. A questão dos recursos diz respeito a mim e ao meu tempo.

- *Por que* fazer uma apresentação de alto perfil como essa? Haverá céticos na sua equipe para os quais a ausência de atividade concorrencial pode sugerir que os competidores sabem alguma coisa que você e sua empresa não sabem?

  Porque é muito difícil acertar o produto, mas sei que posso fazer isso, desde que consiga entusiasmar um número suficiente de pessoas na equipe. Daí minha vontade de encenar um show. Ninguém mais tem essas credenciais orgânicas, e até os competidores sabiamente estão caindo fora. De qualquer forma, acho que minha equipe é um pouco mais inteligente do que a deles e quero mostrar isso na minha apresentação, que vai ser cheia de canto e dança.

- *Por que* você acha que pode superar a antipatia de seus colegas, que você admite ser um problema? Eles provavelmente vão dizer que, se uma grande empresa como a Tesco concordasse com seu diagnóstico de mercado, ela simplesmente faria tudo isso sozinha – e provavelmente seria isso mesmo que iria acontecer.

Porque eu quero me destacar nisso e aproveitar a vantagem de quem lança seu produto primeiro. Se eu consigo fazer uma grande empresa como a Tesco criar estoques, em complemento aos alvos mais fáceis, como Sainsbury e Waitrose – e acho que consigo, pois os testes de degustação do nosso produto são excepcionais – então a história orgânica, junto com nossa tabela de preços, vai permitir que nosso produto chegue à categoria de produtos que "é preciso estocar".

- *Por que* deveríamos fazer isso e correr o risco de canibalizar nossa oferta relativamente bem-sucedida, mas estática, abaixo da margem de pressão e não orgânica?

Porque tudo se resume a posicionamento, não é verdade? Se fizermos um lançamento cabeça contra cabeça (contra nós mesmos), então você tem um motivo forte, mas, se temos como alvo o mercado superior e procuramos pessoas organicamente predispostas e tentamos evitar duplicação de receita, então estaremos bem. Em especial se o nosso marketing for tão excitante quanto eu planejo e pretendo mostrar.

- *Por que* você iria querer colocar sua carreira em risco agora, exatamente quando está a caminho de uma promoção? Veja, se quer passar a um patamar mais alto, fazer desta a apresentação da sua vida – e se ela falhar na tentativa de fazer esse plano funcionar –, então sua vida aqui está acabada, e duvido também que qualquer um dos nossos competidores vá ficar impressionado. Por que não enfiar apenas o dedo do pé na água? Sem um lançamento grande. Sem apresentação interna toda chamativa. Você vai pensar nisso?

Essa argumentação é muito forte e muito bem feita. Posso ir embora e pensar um pouco a respeito? A propósito, que tipo de promoção você tinha de fato em mente?

Por quê? Por quê?? Por quê??? Por quê????

Essa técnica geralmente encontrará o ponto fraco em qualquer argumento, posição ou apresentação. Tente aplicá-la ao argumento da sua próxima apresentação. Quando, por preguiça ou por não conseguir completar de fato o argumento, a maioria de nós dá saltos na nossa lógica, nós acabamos por enterrar questões que não servem ao argumento ou – se somos políticos – por vezes contamos mentirinhas. Em alguns casos, até inventamos grandes lorotas apenas para ir em frente com uma apresentação excepcional. Chegamos a acreditar que $2 + 2 = 5$ na realidade, mas não como metáfora, porque não queremos nos dar ao trabalho de fazer a simples operação aritmética.

> **dica**
> Às vezes somos tentados a contar mentiras realmente descaradas apenas para fazer nossa apresentação fluir. Ou, se formos honestos, sabemos que a história que contamos não se sustenta – e sabemos que isso aparece e a plateia percebe.

Um argumento forte faz você se sentir confiante

Seu desempenho merece um argumento forte, à prova de balas (e não um argumento apenas com base em *bullet points*). Não só ele será sempre melhor assim como também será mais fácil de ser interpretado – não mais haverá mal-estares em relação a ser destruído por perguntas incômodas na seção Perguntas e Respostas por causa de uma lógica sem fundamento.

Então, vamos considerar as maneiras pelas quais o seu desempenho pode ser realçado, de modo que você se destaque como apresentador. Você poderia dizer que, nesse estágio, haverá aqueles entre vocês que dizem que odeiam representar. Na mesma linha, poderia igualmente dizer que odeia trabalhar. Em termos bem crus: se você é executivo, aprenda a se apresentar montando um bom show porque hoje em dia toda a vida corporativa envolve um grau de representação – pois você tem de "manter a cara de jogador de pôquer", controlar seu temperamento, ser gentil com pessoas de quem realmente não gosta, ser paciente com as agruras pessoais de funcionários e, em resumo, fazer seu trabalho. E vale a pena enveredar por qualquer caminho que você encontre que ajude o seu desempenho. Até mesmo subornar a si mesmo para realizar um belo show.

dica
Recompense a si mesmo toda vez que fizer uma bela apresentação.

Desempenho – o lado esquerdo e o lado direito do cérebro

O lado esquerdo do cérebro é a estrutura funcional que obviamente tem importância. Nele estão as técnicas que tornam você claro, audível e com legítima autoridade. No lado direito, está a estrutura criativa que, quando funciona, faz sua apresentação "voar".

Para começar, você precisa ter certeza de que tem a capacidade de conseguir resolver as questões de competência funcional e passar no teste do lado esquerdo do cérebro.

Você precisa ticar os itens abaixo. Você:

- tem boa aparência;
- aparenta confiança;
- conhece seu material;
- parece muito bem ensaiado;
- projeta-se de forma audível e clara;
- termina dentro do prazo (e nunca o ultrapassa)?

Vem em seguida a estrutura do lado esquerdo do cérebro, que ocupa o livro *Blink*, de Malcolm Gladwell. Trata-se de primeiras impressões e respostas qualitativas do ponto de vista da plateia:

- Tenho sentimentos calorosos em relação a essa pessoa?
- Confio nessa pessoa?
- Eu gostaria de encontrá-la de novo e continuar a conversa?
- Essa pessoa é inspiradora?

Já falei sobre a experiência de sentar numa metafórica cabine de comando de voo e fazer a verificação pré-apresentação. A fim de obter a "permissão para voar" – ou seja, receber a autorização para fazer uma apresentação – da torre de controle do lado esquerdo do seu cérebro, leia o livro, siga as sugestões, treine, trabalhe com seus pares para se assegurar que eles podem ver, ouvir e compreender você. Para a "liberação de voo" relativa ao lado direito do cérebro, você precisa ler e pôr em prática o que está neste livro. Mas, depois disso, você também precisa trabalhar com um treinador de apresentação que o ajudará a realizar três coisas que fazem de fato a diferença para a sua presença de palco. Elas vão:

1 Ajudá-lo a encontrar a sua voz – o estilo, tom e altura que funcionam melhor para você.
2 Ajudá-lo não só a ser você mesmo, mas também a se tornar uma versão de você maior e mais marcante.
3 Ajudá-lo a simplificar e fortalecer o impacto da sua linguagem de corpo.

Você vai verificar que, quanto mais trabalhar, mais fácil será o processo de autodescoberta. Há apresentadores que adoram essa atividade, e seu apetite por ela, tal como o de um *chef* que adora comida e o sabor dela, é totalmente sedutor. Eles são como Sophie Patrikios, chefe do Serviço ao Consumidor da Lego. Como a empresa proclama, ela é divertida, bem informada e cativante. Se você tiver oportunidade de vê-la, não perca. Ela não só fica absolutamente sem problemas nervosos no palco, mas também mostra paixão por fazer apresentações e contar sua história.

dica

Encontre a sua voz. Descubra o seu lado que se projeta melhor em uma apresentação. Quanto mais apresentações você fizer, mais fácil vai ficar.

■ Lista de controle

- ■ *Seja você mesmo.* O inglês David Abbott, uma das figuras lendárias da publicidade no século XX, fala de pessoas que se dedicam à arte da palestra-apresentação "encurvadas, de olhos vidrados, com voz estilo *dalek* e com tom didático". Não há necessidade disso tudo. Junte o que você tem naturalmente e faça a promessa de evoluir para dois ou três níveis acima. Seja maior. Imponha-se. Mas não seja outra pessoa.

- *Trabalhe na sua aparência*. É claro que você precisa de ajuda, mas como você pode trabalhar isso por si mesmo? Peça conselhos e sugestões sobre como se vestir – para as mulheres, o terninho (com calças) bem cortado sempre dá uma aparência poderosa e moderna. (Mas, no final das contas, mulheres têm senso de estilo bem melhor que eu. Meu único comentário é: certifique-se de se sentir muito bem e, se isso significa comprar uma roupa nova para cada apresentação que você fizer, então faça-o. É um bom incentivo para ser notável.) Para os homens, terno escuro com camisa branca ou azul clara e sem gravata (apesar de que você pode usar, se quiser). Ostente um leve bronzeado – para não parecer um *workaholic*. **Não deixe ninguém, por mais bem intencionado que seja, induzi-lo a usar qualquer roupa ou montar um visual que o faça se sentir desajeitado**. Todo o propósito disso é fazê-lo se sentir melhor a respeito de si mesmo – você é o astro. Você precisa pensar e conscientizar-se de que está no melhor de sua aparência para sentir que está de fato no melhor de sua forma em todos os aspectos.

- *Você tem presença de palco?* Olhe em torno à medida que sobe ao palco – quanto maior ele for, tanto mais ampla a mirada e a varredura desse seu olhar. Entre com postura ereta. Seja como for que você estiver realmente, passe a impressão de que se sente contente por estar ali. Vale a pena repetir: passe a impressão de que se sente contente por estar ali. Sorria e exclame "Ha!" não em tom alto, mas confidencial (mais para tom baixo – em especial se estiver usando um bom microfone) – isso vai animar seu rosto. Se for um evento menor, tente apenas ficar encantado com o que está acontecendo e bastante interessado. E, quando estiver para começar a apresentação, faça contato visual com algumas pessoas da plateia e pense "Ei, eu realmente gosto dessas pessoas (ou até as amo)". É impressionante como e o que isso passa para uma audiência em termos de comunicação. Já perdi a conta do número de vezes em que vi palestrantes pouco à vontade, matreiros, rabugentos ou até francamente hostis. Tente imaginar que as pessoas ali presentes têm montes de dinheiro e vão dar algum a você, mas apenas se você se mostrar animado e de fato feliz por estar com elas. Presença de palco é como *sex appeal* – que algumas pessoas têm naturalmente, e algumas adquirem. Exemplo do primeiro caso: toda vez que Marilyn Monroe entrava num lugar qualquer, todo mundo parava e percebia.

■ *Tente irradiar autoconfiança.* Como alguém me disse certa vez, "Você tem de acreditar no que fala, mesmo que de fato não acredite". O que é que distingue o apresentador excepcional? Os melhores apresentadores no ramo da publicidade tendem a ser *show-men* sem nenhuma timidez. "Exibido é uma palavra estupenda – diga isso a você mesmo na próxima vez que subir ao palco, numa frase como "É, eu sou mesmo exibido. E daí?", e veja o que acontece. Tudo o que você tem a fazer é irradiar autoconfiança e convicção a respeito do seu tema.

■ *Jamais use jargão.* Alguma coisa ligada a ficar de pé em público e falar sempre me faz dar uma risadinha (claro, depois que consegui controlar meus nervos). Na verdade, muitas apresentações são absurdas, especialmente neste mundo inundado de jargões. Alguns anos atrás alguém inventou o *bullshit bingo* [algo como "bingo da treta"] – um jogo em que você tira 36 quadrados de dentro de uma caixa. Cada um deles contém um termo ou expressão do jargão administrativo, como "ir para a frente", "estratégia", "foco", "céu azul", "global", "entrar em escala", "padrão de referência", "cultura", "razão/proporção", "enxugamento", "terceirização" – e por aí afora. A regra é marcar e eliminar cada uma dessas palavras detestáveis à medida que elas surgem e, quando se preenche uma linha vertical ou horizontal nesse processo, o vencedor salta e grita *"Bullshit!"* ["Treta!"]. Evite a todo custo qualquer tipo de jargão. Fale bem claro – em frases curtas, com palavras igualmente curtas. E lembre-se de que o jeito como um roteiro está escrito não tem relação alguma com a escrita normal – tem de vir em frases curtas, em tamanho grande (para você ver bem). Tem de ser rápido, em tom de conversa... ousado.

■ *Curta a sensação de se comportar de modo um tanto dramático.* Você sabe onde está, por que e para quem fala. Você tem uma história boa, simples, e sua lógica é sólida, à prova de bombas. Os slides vêm e vão agradavelmente. Ainda assim, você precisa gerar alguma surpresa ou provocar aquele ar prazeroso de espanto. Isso porque você quer se distinguir de seus colegas (em outras palavras, seus competidores), e de tal forma que a audiência lembre a sua mensagem. Algumas das minhas lembranças mais vívidas têm a ver com desastres – nos velhos tempos dos slides sobre vidro, quando o projetor esquentava demais, pegava fogo e derretia os slides à nossa frente, de modo que frases como "Por que vamos ser bem-sucedidos" se encurtavam, e o que aparecia, para nossa vergonha, era apenas o prefixo "suc", que lentamente escurecia e desaparecia. Ou quando os slides tinham sido colocados ao contrário na grade de exposição – e, com isso, as letras surgiam em ordem inversa (de trás para a frente), fazendo com que parecesse se tratar de uma apresentação em alguma língua com alfabeto estranho da Europa oriental. **Pense no que você mais quer que a sua plateia lembre e quebre a cabeça até encontrar uma solução que demonstre essa proposta de forma marcante e inesquecível.** Pode ser uma palavra em letras garrafais na tela, um trecho de animação, vídeo ou trilha sonora, uma citação bem pertinente – ou você pode tirar o paletó, a gravata e os sapatos, dizendo: "É assim que a gente promove corte de excesso de custo ou de bagagem". Seja lá o que for, trata-se de encontrar justamente aquele momento quando você se permite um tanto de ênfase dramática.

- *Não seja mecânico demais.* Sopre vida no seu material. Na estrada para a excelência, você precisa aprender a transformar o que diz em itens que capturem a atenção e sejam realmente interessantes. Quando se apresenta no palco, você precisa dar a impressão de que se importa com as aspirações e sentimentos da audiência. Você tem de soprar vida no tema que expõe. Tem de mostrar paixão por sua causa. Você precisa estar – e ser visto como – contente por fazer sua apresentação. Participei recentemente de um evento de celebração do aniversário da Afruca (Africans Unite Against Child Abuse – Africanos, unam-se contra o abuso de crianças). Enquanto estive lá, refleti sobre como os africanos são melhores do que nós para demonstrar paixão, sinceridade e envolvimento. A razão, eu suspeito, para que tão poucos líderes surjam hoje em dia no Reino Unido é que nós britânicos somos desesperadamente incapazes de mostrar extroversão – ao contrário dos sul-africanos, zimbabuanos, australianos, americanos, franceses, italianos. Assim, quando estiver lá em cima, leve isso em conta ao máximo. **Mostre animação – faça com que a plateia pense que você parece e soa *dinâmico*.**

- *Treine, treine, treine.* Você vai precisar de revisões completas da apresentação, inclusive da parte técnica (como a passagem do som), e vai precisar conhecer seu material muito bem. Além disso, é provável que a situação mude, o que significa que você necessita ter jogo de cintura suficiente para mudar partes da sua apresentação no último momento. Mas, acima de tudo, você precisa deixar tempo a si mesmo para explorar o desempenho – trabalhar em ritmo, pausas, partes mais exuberantes e mais discretas. Não imagine que qualquer bom desempenho que você viu não tenha sido muito bem ensaiado. Dizem que Steve Jobs levava semanas para trabalhar em algumas apresentações. Ensaie sozinho para se acostumar com sua própria voz. Não faça algo que alguns já tentaram, ou seja, editar e mover material pelo palco enquanto está atuando. Isso deixa os técnicos com os nervos em frangalhos e é fatal para o desempenho – o que você tem ao começar é o que vai com você até o fim. Faça pelo menos dois ensaios: o primeiro é o que eu chamaria de "passeio através da sala", apenas para se certificar de que todos os elementos estão reunidos da maneira correta; depois uma "passagem completa", que é um ensaio com sentimento. Marque seu roteiro com notas precisas e "sonhe" com seu desempenho em câmera lenta. Tenha pronto um plano B – pode haver um corte de energia ou um incêndio, talvez muito pouca gente apareça, talvez você seja o único palestrante em pé por causa de uma massa que caiu mal no jantar que só você perdeu porque estava ensaiando. **Não há alternativa: para maximizar suas chances de sucesso, você tem de recorrer ao treino intensivo (e ao ensaio exaustivo).**

dica

Se você está no palco, não há lugar para ficar tímido. Tenha como alvo um desempenho poderoso, com grandes quantidades de sentimento, atenção rigorosa e confiança. Qualquer um pode ser realmente bom. Só precisa de trabalho duro e muito pensar. Quase todos os apresentadores excepcionais evoluem até chegar a esse estágio – eles não nascem prontos.

recapitulando

Um tanto de teatralidade é vital se você quiser ser excepcional. Mesmo que seu desempenho já esteja sob controle, você ainda estará no palco e terá de preencher esse espaço. Você não estará lá para falar ou ler um roteiro – estará lá para conquistar atenção, cativar pessoas e convencê-las em relação à sua história. Os americanos Tom Peters e Jim Collins têm mantido um debate acalorado sobre estilos de liderança. Peters defende que os executivos sejam carismáticos, barulhentos, que ajam no curto prazo e produzam rupturas; Collins quer executivos mais na linha calma, reservada, impulsionados por processos, ricos em dados, construtores de equipes e que ajam no longo prazo.

Cada um tem suas razões. Provavelmente precisamos de ambos, mas – e isso é discutível – não temos mais um "longo prazo", temos o *agora*. E, se você está no palco, não há lugar nele para o "homem quieto" – você se lembra de Iain Duncan Smith, antigo líder do Partido Conservador no Reino Unido? Tenha como meta um desempenho poderoso, com muito sentimento e confiança. Mas já volto a Iain Duncan Smith em um segundo. Recentemente, o vi atuar em uma reunião de pequeno porte falando sobre pobreza no Reino Unido e o papel do bem-estar social. Ele foi bem engraçado... fez jus a suas credenciais como ser humano logo de cara e, sem anotações, efetuou uma exposição notável. Ele realmente estava por dentro do seu tema e falou de maneira persuasiva, com suprema confiança.

Ele, que sempre foi tido como "homem quieto", transformou-se em apresentador excepcional – sim, dá para fazer isso.

Parte 4

Como tecnologia e técnica impactam as apresentações

Nós temos muita sorte. De repente, somos confrontados não só com tecnologia mágica, que faz a animação e o vídeo ficarem fáceis de embutir numa apresentação, mas também somos expostos a apresentadores talentosos, estimulantes e competentes, que estão superando as barreiras da comunicação com técnicas novas e interessantes. Tecnologia e proficiência técnica estão em alinhamento, como em uma sinfonia.

Uma palavra sobre o PowerPoint

Desde a invenção do PowerPoint, em 1987, muitas coisas mudaram. Esse software para apresentação foi adotado por todas as empresas ao redor do mundo, mesmo que algumas o tenham feito com má vontade. É usado comumente em escolas e universidades. Foi adotado por igrejas, grupos comunitários e governos. Com essa tecnologia na ponta dos dedos, todo mundo tem a possibilidade de produzir apresentações de PowerPoint – e o faz. De fato, as duas palavras, PowerPoint e apresentações, tornaram-se sinônimos. O PowerPoint é uma ferramenta global de negócios como instrumento de contabilidade de partidas dobradas.

Quando a tecnologia toma conta do palco

Esta parte explica como aperfeiçoar o lado técnico da arte de elaborar apresentações, ao mesmo tempo que faz um grande alerta: uma história ruim, mal alinhavada e mal contada, nunca será salva por tecnologia alguma, por mais apurada que seja. Dito isso, se você quiser montar um show que realmente cause impressão, então estará no comando de uma parafernália de imagem e som que nenhum dos seus predecessores teve à disposição.

Tecnologia e técnica

Esta parte se divide em três seções:

1 Conceitos básicos e desenvolvimento de PowerPoint, Keynote e outras tecnologias.
2 Encenação, iluminação e som que levam o show para toda parte e permitem visões de bastidores.
3 As técnicas usadas nas apresentações ao vivo e no TED (Tecnologia, Entretenimento e Design) por alguns dos mais bem-sucedidos apresentadores da atualidade.

Como extrair o máximo disso

Nunca se deixe escravizar pelo PowerPoint. Sim, ele é uma ferramenta muito útil e pode ser um bom amigo, mas também pode se transformar num completo aborrecimento (sobretudo para sua plateia), se você se deixar dominar por ele. A tecnologia tem a capacidade de fazer você reluzir, ou – se mal usada – simplesmente fazer com que seu brilho pareça falso.

A coisa mais útil a fazer é estudar tantas apresentações quantas você conseguir. Torne-se um fanático por apresentações. Estude o que os apresentadores fazem no palco e como o que eles realizam parece afetar a audiência. **Olhe, preste atenção e aprenda**.

CAPÍTULO

A **tecnologia** está aí para nos tornar mais **poderosos**

O POWERPOINT é tido como uma ferramenta fundamental e eficiente por muitos apresentadores. No entanto, as opiniões a respeito desse programa estão polarizadas – eu o considero um instrumento notavelmente útil, que o ajuda a concentrar o pensamento e lhe permite produzir, no caso mais simples, folhetos fáceis de assimilar e, no mais elaborado, slides que realmente dão um tremendo ritmo ao evento.

Assim mesmo, trata-se apenas de uma ferramenta. Este capítulo é mais sobre processo do que qualquer outra coisa. Mas lembre-se de que, se quiser extrair o máximo da apresentação que pode moldar sua carreira, você deve criar um relacionamento com um designer profissional e então se encantar com a diferença que vai conseguir – comparável com, digamos, a diferença entre a comida literalmente rápida e rasteira das redes de *fast food* e a requintada cozinha *cordon bleu*.

PowerPoint, amigo ou inimigo?

Por causa de sua onipresença, o PowerPoint tornou-se um termo generalizado para todos os slides. Mas de fato significa:

1 a disciplina de usar itens de exposição retangulares gerados por computador numa tela ou num folheto para dar mais brilho à apresentação (usando PowerPoint, Keynote e outros programas especializados para apresentação);

2 o programa específico da Microsoft com seus estilos de formatação embutidos – com mais destaque para as listas feitas com *bullet*

points. Mas note que a própria Microsoft publicou um livro chamado *Beyond bullet points* (Para além dos indicadores de tópicos).

Dizem que já se contabilizam 30 milhões de apresentações com PowerPoint todos os dias – ou 350 apresentações com PowerPoint a cada segundo. Isso significa que já se completaram mil delas enquanto eu digitei essa última frase (eu sou lerdo para digitar). Cerca de 11 bilhões de apresentações por ano atingem a população da Terra – isso significa que há duas vezes mais apresentações com PowerPoint do que gente no planeta. Há apresentações com PowerPoint em todo lugar.

Tudo isso começou no famoso Silicon Valley (Vale do Silício): um homem chamado Bob Gaskins, com doutorado pela Universidade Berkeley, teve a ideia. Ele a desenvolveu com Dennis Austen numa companhia chamada Forethought (que quer dizer literalmente premeditação, antecipação). O PowerPoint foi projetado para Macs da Apple em preto e branco, ao que se seguiu rapidamente uma versão em cores. A empresa foi comprada pela Microsoft no fim daquele ano "maníaco" por US$ 14 milhões. Bob deve ter pensado que 1987 foi um ano cheio de dias de Natal, mas imagino o que ele pensaria agora.

Pontos a favor e contra

O software existente tem suas vantagens:

- Faz as pessoas começarem a pensar em termos visuais.
- Mesmo usado na forma mais simples é muito eficiente.
- É ótimo para consistência, o que leva a um sentimento coerente e corporativo.
- Consegue criar um índice mais alto de "memorabilidade" da apresentação como um todo.

No entanto, tem também fraquezas (a maior parte delas, porque ele é tão fácil de usar):

- Encoraja o uso de número excessivo de palavras.
- É fácil de manipular, o que leva a produzir gráficos demais.

- Um número excessivo de pessoas faz experimentos bem rasteiros com ele (quer dizer, rasteiros para a plateia).
- Perde-se tempo demais em adaptações.
- Apresentações com PowerPoint em geral são feias porque as pessoas não têm treinamento em design.

Ponha a culpa no obreiro, não nas ferramentas dele

As aparentes fraquezas do PowerPoint têm a ver mais com o mau uso dele do que com o fato de haver qualquer coisa intrinsecamente errada com a própria ferramenta. Seria como culpar a caneta esferográfica por produzir documentos chatos. Não dá mesmo para culpar o PowerPoint pelo mau discernimento daqueles que se aventuram e acabam por usá-lo de forma equivocada.

O PowerPoint é fácil de usar, mas muito difícil de usar bem. É como dançar – qualquer um se arrisca a fazê-lo, mas, para enxergar todo o potencial da dança, é melhor ver um profissional executá-la.

O PowerPoint é como "pintar com números" – dá a ilusão de capacidade artesanal, porém, na realidade, ele apenas faz com que você siga a estrada que leva à pintura.

Permite que literalmente qualquer pessoa se anime a fazer uma tentativa.

O PowerPoint melhorou a vida de quem trabalha

Nos assim chamados "bons tempos de outrora" usávamos slides de arte que custavam 20 libras cada e peritos levavam dois dias para preparar. Ou tínhamos transparências (que ainda representam uma boa ferramenta para grupos pequenos – dá até para escrever nelas).

Quando mudamos para gráficos gerados por computador, os primeiros projetores levavam horas para montar (tinham três disparadores, cada um precisava ser posto em foco individualmente) e eram muito sensíveis – bastava uma batida leve, e eles quebravam. E custavam o equivalente a um bom piano de cauda na época (cerca de

25 mil libras). Hoje, um produto digital superior, com lente única em vez das três de antigamente, com autofoco, custa cerca de 500 libras, o preço de uma guitarra elétrica razoável.

Clique no PowerPoint... e lá estão eles – um conjunto de trinta *templates*. Há apenas três ou quatro que eu acho úteis – você digita o conteúdo da sua apresentação, e em cerca de meia hora tem um rascunho meio decente dela. No entanto, esse prato ainda está bem cru.

Você coloca então seus slides em formato de páginas de notas e trabalha na simplificação deles, acima daquilo que nas páginas de notas está começando a ficar parecido com o seu roteiro. Como acontece com os molhos, você reduz cada vez mais. Você é um ser humano inteligente, e isso é apenas o começo de um processo longo e repetitivo.

Quem não gosta dele descreve tais apresentações como "morte por PowerPoint". No entanto, da perspectiva de um apresentador, está mais para "vida graças ao PowerPoint", porque até mesmo os relativamente analfabetos em computação como nós conseguem trabalhar, refinar e melhorar a apresentação durante a noite toda sem *backup*. Isso significa que fomos libertados.

dica

Assista a programas de TV a fim de ver como peritos desenvolvem gráficos e se você consegue usar as ideias deles.

O modo como o mundo está se movendo (e às vezes não está)

Quando você fala com peritos, eles fazem com que tudo soe muito fácil. Eu tive interesse em ouvir como o diretor-gerente da Showcase, Martin Conradi, via as coisas de um ponto de vista técnico, depois de passar tanto tempo na vanguarda das mudanças no mundo da arte de fazer apresentações.

Assim como Steve Jobs fazia, ele realmente acreditava que você precisa começar com a experiência da plateia e trabalhar de trás para a frente a partir dali. Se a audiência consegue descobrir o quanto a tecnologia é inteligente, então provavelmente você não acertou a mão.

Todos os programas podem estabelecer links entre textos, gráficos e vídeos e transmiti-los numa boa variedade de formatos – por isso há pouca margem de escolha entre eles, do ponto de vista da impressão/ satisfação de uma plateia. Nas mãos de profissionais, os resultados são quase indistinguíveis, de modo que discussões sobre qual opção usar não são de muita ajuda.

São mais interessantes as opções de visualização. A tela padrão de formato 4:3 passa rapidamente para 16:9 ou mesmo 32:9 para conferências. Por longo tempo, era possível configurar *videowalls* e blocos de LED (pense em termos de Lego) em todas as possibilidades de formas irregulares. Blocos de LED funcionam com boa eficácia em altos níveis de iluminação, desde que o tamanho da tela seja grande o bastante para mascarar sua baixa resolução individual, mas as resoluções não param de evoluir. Há tempos se debate o uso da holografia, porém isso ainda deve levar alguns anos. Ainda assim, telas que parecem feitas de nevoeiro permitem que você caminhe ou até dirija um veículo através delas, e truques ópticos com vidro, muito inteligentes, podem aparecer para a audiência, a fim de mostrar seres humanos "interagindo ao vivo" com animação computadorizada.

O vídeo e o que vem depois dele

Efeitos simples em estilo de vídeo são exequíveis; porém, para qualquer coisa um pouco mais complexa no futuro próximo eles são bem caros, demoram para ser produzidos e fogem ao raio de ação da maioria das apresentações.

Dispositivos como iPads e outros tablets permitem a um palestrante em movimento controlar a operação, embora haja questões de compatibilidade (por exemplo, apenas um nível limitado de funcionalidade do Apple Keynote está disponível num Apple iPad no momento em que escrevo). Eles também permitem distribuir a apresentação sem necessidade de cabeamento a iPads individuais, que, por sua vez, podem ser conectados a telas grandes ou projetores, com o palestrante controlando os slides a partir de seu iPad

Outros softwares de apresentação estão disponíveis e com frequência eles se proclamam "compatíveis com PowerPoint" – embora isso muitas vezes se refira às funções mais básicas do PowerPoint. Importar ou exportar apresentações na vida real do nosso PowerPoint ou para ele pode ser uma experiência decepcionante e frustrante. Por isso, tome cuidado.

Apresentações podem ser realçadas com imagens tiradas da web (procure as de alta resolução e tome cuidado com questões de copyright) ou coleções de fotos. Ou você pode realçá-las com artes criadas com softwares de gráficos como Photoshop, Illustrator ou After Effects, da Adobe. Muitos programas projetados para criar animações na web, tais como Flash, Silverlight ou HTML5, podem ser usados em apresentações, mas talvez precisem de drivers especiais. Alternativamente, as próprias apresentações podem ser convertidas em Flash e outros formatos – que serão eventualmente úteis quando o software de playback da palestra não estiver disponível.

É tal a flexibilidade das mais recentes versões de programas de apresentação que uma palestra em PowerPoint 2010 pode ser salva como vídeo WMV e então embutida em si mesma (isso é de fato impressionante, mas não necessariamente útil).

Você quer usar o Flash?
Ouça o "Tio Steve" e seus sucessores

A Apple tem a intenção de excluir o Flash de seus iPads e iPhones, com a expectativa de que o HTML5 vá predominar cada vez mais (veja no Google "ideias da Apple sobre o Flash/Apple – em inglês *Apple, thoughts on flash*"). Você pode criar apresentações inteiras com muitos desses programas – Photoshop ou Flash, por exemplo –, e eles com certeza vão causar bela impressão. Mas eles levam tempo demais para fazer, e editá-los é tarefa demorada e difícil. São ótimos para apresentações com uso múltiplo e a longo prazo, mas não para qualquer coisa que provavelmente vai precisar de mudanças no último minuto.

Qualquer vídeo ou animação na tela move a atenção da plateia para longe de quem se apresenta. Tudo bem se é isso que você quer, mas deve-se usar esse recurso com cautela.

Segredos de produção da Showcase

Crie um mundo da apresentação em que tudo é grande e nada se mostra pequeno.

1 Acerte a história. Qual é o ponto principal que você quer transmitir?

2 Corte as palavras até chegar à essência. Mantenha tudo simples. Menos é o bastante.

3 Encontre imagens para ilustrar. Uma imagem grande por slide, não várias pequenas.

4 Encontre um estilo visual. (Um executivo da Dorling Kindersley certa vez fez uma apresentação sobre os desafios de conseguir boas imagens de elefantes contra um fundo branco. Foi um esforço de proporções elefantinas, impossível de esquecer. Um conjunto de imagens definiu a apresentação visual e funcionou muito bem.)

5 Mantenha a consistência... exceto onde, para algum efeito, você queira um momento discordante.

6 Cuidado com a linguagem. Numa conferência da Tesco na Polônia pensaram em colocar um slide sobre estabelecer preço na indústria da música. O slide que continha "preços de discos" deixou algumas pessoas assustadas.

7 Cuidado com as quebras de linhas nos slides. Neste exemplo fictício:

Ela nada tem a ver

Comigo

Pode ser muito diferente da frase a seguir, sobretudo se você estiver conhecendo uma professora de natação:

Ela nada

Tem a ver comigo

8 O técnico que comanda o show tem controle total sobre você durante o tempo em que você fala. Ele pode ter passado a noite toda montando o cenário e distribuindo os cabos de som, de iluminação, seja lá do que for. Trate-o como um assessor inteligente e que se preocupa; explique o que você necessita e, se possível, revise tudo junto com ele. Não se esqueça de agradecer a ele no final. Nunca é demais repetir isso.

dica

A audiência principal vai acompanhar você em pessoa, ao vivo na internet ou lendo os folhetos? Você precisa decidir a quem vai se dirigir de forma mais direta.

Lista de "faça" e "não faça"

Faça

- ✓ Suponha que você está muito ocupado e tem de deixar a apresentação pronta rapidamente.
- ✓ Estabeleça seu *template* começando com o Slide Master, de modo que seu estilo – fonte, indicadores de tópicos, aberturas de parágrafos etc. – tenha coerência. Garanta que fique do jeito que você quer, para começar.
- ✓ Escreva uma página de conteúdos – ela lhe dará um formato e uma série de "placas indicativas" na ordem certa. Isso vai variar de situação a situação, mas a plateia vai ser ajudada se souber que você sabe com certeza para onde está indo.
- ✓ Tenha sempre um cabeçalho nos seus slides com os dizeres "Estratégia", "Objetivos", "Desafios" ou seja o lá o que for, mas nunca mais de cinco ou seis palavras – nunca. E sempre em letras minúsculas – assim fica mais fácil ler.
- ✓ Mantenha tudo preciso, evite jargão e use visuais simples.
- ✓ Concentre-se em refinar e reduzir sua apresentação – ela é seu acompanhamento musical e está lá para fazer você aparecer bem e tornar claro o que você quer dizer. Está lá para ajudar você.

Não faça

- ✗ Não crie obsessão com o lado visual das coisas ou com a elaboração – concentre-se na história e na visão geral.
- ✗ Não use mais de cinco indicadores de tópicos ou mais de vinte a trinta palavras por slide (preferivelmente, fique em torno de vinte), exceto em folhetos.
- ✗ Não se esqueça de deixar espaços para imagens e diagramas, que podem vir mais tarde.
- ✗ Não se preocupe: você sempre vai escrever demais, para come-

çar, mas tudo bem, desde que prometa editar com o máximo de rigor.

✗ Não confie no seu próprio julgamento: se tiver tempo, sente-se com um perito para deixar tudo acertado, e pelo menos tire as partes feias – melhor ainda, peça a um profissional para que dê o seu toque.

Assessoria técnica para que a sua vida no departamento "Faça você mesmo" fique mais fácil

Aqui está uma lista de coisas que você precisa fazer para parar de cometer erros estúpidos ao montar seus próprios slides:

- Não use subtítulos nem subindicadores de tópicos.
- Não use gráficos complexos – é preferível ficar com cinco simples em vez de um muito complexo.
- Não invente muito com fontes e esquemas de cor – escolha uma simples e fique com ela. Arial e Times Roman já passaram por muitos testes e são confiáveis – fontes como Tahoma talvez não o sejam. Se você insistir em usar fontes pouco habituais, sua adorável apresentação irá para o espaço, com estranhas quebras de linhas e perda de metade do texto.
- Evite animações, transições e efeitos sonoros, a não ser que tenha apoio de peritos.
- Não digite seu roteiro na tela para ler – tenha dó da pobre audiência
- Não inclua elementos que talvez não funcionem em outros computadores – correr riscos com tecnologia é como acelerar no gelo, uma receita para a ignomínia.
- Não suponha que todo mundo tem um computador atualizado como o seu. Dito isso, compre um laptop atualizado, que você daqui em diante vai chamar de "aparelho de apoio audiovisual". Nunca o chame de computador. O pessoal da TI (Tecnologia da Informação) costuma ficar melindrado com o que pode interpretar como

invasão de seu território. Aparelhos de áudio e vídeo são problemas de outras pessoas, especialmente os de apoio, desde que não sobrecarreguem o orçamento da TI.

■ Reconheça que há uma diferença entre produzir slides para projeção numa sala grande e folhetos para levar para casa. Os dois não são a mesma coisa, mas muita gente supõe que são.

Coisas a fazer no seu PC (se você sabe o que está fazendo)

1 Modifique a barra de ferramentas para que fique mais fácil lidar com ela – você não precisa sequer de metade do entulho que há ali.

2 Use o Slide Master, que você vai encontrar debaixo do Master View – ele permite armazenar informações sobre fontes, posicionar textos e objetos, estilos de indicadores de tópicos, desenho de fundo e esquemas de cor a aplicar em todos os seus slides, inclusive algum que você deva acrescentar mais tarde. Também permite a você aplicar mudanças retrospectivas globais – tais como alterar fonte ou cor – em relação a todos os seus slides.

3 Embaixo de Ferramentas/Opções/Salvar você vai encontrar "Permitir salvamentos rápidos" – desabilite essa opção, porque ela infla o tamanho do arquivo, além de torná-lo mais vulnerável a corrupção.

4 Use grupos de ajuda do PowerPoint (por exemplo, http://office. microsoft.com) para sugestões e atalhos.

5 Descubra atalhos úteis e mantenha uma lista deles – por exemplo, Shift F3 transforma tudo em letras maiúsculas; Ctrl B ou I ou U formata uma seleção assinalada com as opções *bold*, *italic* ou *underlined* (negrito, itálico ou sublinhado), respectivamente.

6 Verifique impressos da sua apresentação em tons de cinza.

Treine e seja claro sobre o que você quer

O mais importante de tudo, se você quer ser competente com o Power-Point é: treine, treine, treine – e nunca pare de treinar. Use os seguintes sites para obter aconselhamento, ajuda e ideias:

- www.showcase-online.co.uk
- www.rdpslides.com/pptfaq

Se você convocar profissionais para ajudar com seus slides, encenação ou roteiro, transmita instruções a eles de maneira adequada. Não há nada mais frustrante e caro do que esperar que fornecedores externos leiam a sua mente. E, por melhor que você seja, nunca pare de trabalhar nem de procurar maneiras de melhorar.

dicas

- Treine com PowerPoint. Como você espera ser bom sem praticar? Aqueles que têm talento verdadeiro começam com duas coisas distintas, um olho para o design e um emprego – isso significa que eles fazem quase nada além de slides, de manhã, de tarde, de noite.
- Exercite autodisciplina. Já mencionei o "mingau corporativo" imposto por *templates* corporativos de design. Bem, a não ser que você seja o chefe, obedeça às regras e trabalhe dentro delas. Ninguém ganha prêmio por ser radical quando radical é ilegal.
- Trabalhe com peritos. Aprenda técnicas trabalhando com peritos em PowerPoint. Por um custo bem baixo, eles lhe mostrarão atalhos e efeitos que você nunca entendeu antes.
- Estude design. Verifique o site e as transmissões da BBC por exemplo – seus jornalistas e designers não usam PowerPoint, mas em geral eles são bons em design. Igualmente, dê uma olhada em jornais como *Financial Times* e *The Sun* – estude como eles fazem suas respectivas audiências concentrarem a atenção. Assim como boa parte das pessoas do ramo de negócios, somos desesperadamente ignorantes em design. Torne-se um "viciado em design".
- Use páginas de notas. Elas ajudam a tomar a decisão correta naquele ponto crítico em que *você* precisa distinguir entre o que pensa que necessita dizer e o que a audiência precisa ver.
- Mande para o espaço os *bullet points*. Tente fazer uma apresentação sem eles e veja o que acontece – você talvez consiga se libertar daquele efeito cansativo que eles geram.
- Descubra o que você não consegue fazer. Se há alguma crítica

legítima ao PowerPoint é que ele mascara a incompetência, não só da audiência, mas também do apresentador. Você precisa descobrir o que consegue e o que não consegue fazer, se é que você quer mesmo ficar melhor nisso.

- Concentre-se no "grande slide" para começar. Esse é o recado de Jack Welch, para quem você precisa de um "slide matador estratégico" – que deixe bem explícita a sua mensagem de uma maneira devastadoramente clara. Aprender a usar o PowerPoint ajudará você a quebrar seus pensamentos em pedaços de tamanho lógico. Pensar de modo mais positivo sobre acessórios visuais em apresentações é uma maneira de fazer você passar de médio para excelente, ou de aprendiz para excepcional, realmente bem depressa.

- Nunca confunda folhetos com material de tela. Ainda que todo mundo faça essa confusão. Vivemos num mundo que cabe em laptops e, quando se trata de uma plateia maior, às vezes não conseguimos entender por que o que parecia esplêndido no escritório às onze e meia da noite no seu PC parece tão sem graça num auditório como o Queen Elizabeth Hall no dia seguinte. Grande não é belo – é meramente *maior*. E o que é realmente embaraçoso sobre esse "maior" é que ele magnifica o amadorismo. O que produzimos para folhetos e o que mostramos na tela não são a mesma coisa.

Você só tem uma chance

Há apenas uma "primeira noite" quando você faz uma apresentação. Você não tem como voltar no dia seguinte depois de ter tirado todas as pregas do tecido com ferro elétrico. Esse é o seu momento decisivo. Você pode mudar qualquer coisa agora – mas não pode mudar nada depois (com exceção, talvez, do seu emprego). Por isso, treine agora, como se a sua vida dependesse disso. O PowerPoint ajuda você a se libertar e a entender como uma apresentação pode funcionar de forma excepcional.

Mas não seja idiota: não arrisque apresentar trabalho malfeito com base no gênero "faça você mesmo". Você pode fazer uma apresentação em escala pequena com recursos visuais que você mesmo tiver preparado. Porém, por mais que lide com ela e a domine, não tente passar a um desempenho maior sem a ajuda de profissionais de design. Se optar por isso, vai se arrepender. Contrate profissionais para projetar o cenário, os efeitos e fazer a gestão da atividade no palco (nos meios estritamente teatrais, conhecida como contrarregra). No entanto, deixe bem claro que todos vão trabalhar para você, sob sua direção.

Você achava que todo esse aparato técnico era fácil?

Então... você tem um plano, uma história e até mesmo alguns slides muito bons. O que pode dar errado?

- O local é pavoroso, com pilares que obstruem a visão e a circulação. Você verificou o local pessoalmente? Ah... deixou isso para um assistente fazer. Hummm!

- A sala tem acústica terrível – um horror! Você verificou isso, não? Não o fez? Isso equivale a comprar um terno sem conferir o tamanho e sem experimentá-lo antes. Você é mesmo um lunático!

- Os projetores não recebem a quantidade de eletricidade necessária. Por isso, os seus slides coloridos parecem tão "lavados" – mais ou menos como vai estar a sua aparência quando você tiver terminado a sua apresentação.

- Você decidiu fazer a apresentação usando uma tela de laptop para vinte pessoas. Erro tremendo – que vai resultar em tela minúscula e plateia irritada.

- As fontes das manchetes devem estar em 44 pontos ou perto disso, e o texto não pode estar abaixo de vinte pontos. Gráficos difíceis de ler são um pecado cardeal. Bravamente, você ignora isso e verifica, consternado, que um bando de sexagenários provavelmente bem míopes entraram na sala. É pena, mas eles não vão conseguir ler os slides de jeito nenhum. E você está na maior encrenca!

De qualquer forma, você está pronto para começar. E aqui estão alguns lembretes.

recapitulando

- Não leia os slides.
- Deixe notas concisas na sua página de anotações para usar como guia do seu roteiro.
- Escrever bons roteiros é *muito*, *muito* diferente de escrever um artigo, um e-mail ou um livro.
- O seu roteiro está aí para você e para mais ninguém – por isso, imprima-o com letras em tamanho grande e frases curtas.
- Evite grandes "bifes" de texto – eles fazem com que você se perca.
- Os melhores apresentadores costumam cumprir um processo de cinco estágios:
  - pensar;
  - fazer anotações;
  - elaborar o roteiro;
  - elaborar também o roteiro conciso;
  - fazer mais anotações.
- Sempre escreva o seu próprio roteiro, porque ler roteiros de outras pessoas denuncia preguiça e vai condenar você a ser para sempre um noviço que aborrece.
- Não se permita estourar o tempo – isso configura crime equivalente a furto, porque dessa forma você rouba o tempo da plateia.
- Pausas são boas... Pausas longas ajudam a alcançar um efeito dramático. No entanto, por mais importante que a audiência seja, deixe bem claro que você é quem controla essa pausa e que você não a estabeleceu simplesmente porque "travou" de medo ante a plateia. Um caso interessante: um palestrante abusou com demasiada liberalidade do uso da pausa dramática, o que fez alguém na audiência se levantar e perguntar: "Tudo bem com você?".

Porém, o mais importante de tudo são três tópicos:

- *Planeje* de forma que você realmente saiba o que está tentando fazer.
- *Ensaie* bastante, de modo a não deixar nada ao acaso. Isso significa revisar e treinar sua atuação tantas vezes até você ficar entediado com ela. Significa saber tudo bem o bastante para

lembrar o que vem depois e ter na memória em que altura virão os pontos altos.

- Dedique duas vezes mais tempo a ensaiar em relação ao que reserva para preparar as apresentações e faça tantas delas quanto puder. É só com a prática que você vai melhorar. Por exemplo, você já ouviu falar de alguém que seja linguista consumado e que fale francês – ou outras línguas –, apenas uma vez por ano? A cruel verdade na vida é que você tem de trabalhar duro. Como disse certa vez o golfista sul-africano Gary Player: "Sabe que quanto mais eu treino mais sorte eu tenho?".

Apesar disso, também faz muito sentido verificar regularmente o que você faz direito e o que você não faz tão direito assim como apresentador. Examine isso junto com um profissional, alguém que se exponha constantemente a diferentes apresentadores. Isso será revigorante e deixará expostas as falhas que, isoladamente, talvez não sejam um grande problema, mas que, juntas, podem impedir que você evolua.

O lembrete final – o ponto crítico: divirta-se! Não, não é piada. Mas como – você certamente vai perguntar –, como vou conseguir ficar lá em pé, com tremedeira nas pernas e a forte sensação de que agora sei como se sente alguém que está para ter um ataque cardíaco? A resposta é simples: você vai chegar lá, sim; basta se acostumar a ser bom – eis aí como. E, quando você tiver feito uma apresentação excepcional e experimentar aquele momento de triunfo, a euforia que vem dele... tudo isso vai fazer com que se sinta maravilhado – e aí você vai descobrir que mal vai conseguir esperar para fazer a próxima apresentação.

CAPÍTULO 12

Técnica:
o aprendizado que vem dos melhores – o fator X

APRENDER COM OS MELHORES do ramo e entender o que eles fazem certo (e o que fazem errado), quais são seus pontos fortes e de que maneiras conseguem o impacto sobre a audiência é o caminho mais rápido para você levar seu próprio desempenho a um patamar superior. Uma executiva sênior com quem eu trabalhava compareceu a uma conferência global no Havaí e depois me relatou que viu apresentador após apresentador empregar os truques descritos neste livro. Ela disse que tinha aprendido especialmente algo a respeito do uso concentrado da paixão (não um espasmo de entusiasmo, mas algo como um raio laser de energia) e a presença de memoráveis pinceladas ou toques de cor.

O jogo da apresentação teve bom desenvolvimento graças a alguns atores significativos nos últimos anos, os mais notáveis entre eles Barack Obama e Steve Jobs. O fenômeno TED (on-line e com desempenho ao vivo) e a explosão de eventos sérios em forma de palestras e debates sob o patrocínio de respeitadas organizações inglesas como The Spectator, The Week, The Royal Society of Arts, The Royal Geographic Society e outras, também tiveram impacto nesse panorama. Cada vez mais o trabalho de instituições acadêmicas – como a London Business School, a London School of Economics e instituições europeias como o IMD (Institute for Management Development) e a Universidade de Lausanne, quando promovem suas iniciativas e fazem desfilar seus palestrantes estelares – contribui para impulsionar a transformação das apresentações em uma nova forma de entretenimento estilo stand-up.

O poder da palavra falada, para uma geração que ouve dizer que a era de ouro do parlamentarismo está acabada, é demonstrado de forma marcante em um número cada vez maior de eventos com presença maciça. O fato é que a arte de fazer apresentações e de contar histórias nunca esteve melhor de saúde nem mais experimentalmente vibrante como nos dias de hoje.

Ainda assim, no ramo dos negócios as habilidades de apresentação ficaram para trás

Cursos em nível de MBA não incluem módulos de apresentação nem de comunicação. É verdade que a maioria dos executivos se vê obrigada – contra a vontade – a fazer mais apresentações do que seus predecessores. Mesmo assim, a verdadeira arte da apresentação nos negócios – em oposição às do discurso e do debate – ainda pertence, em certa medida, a algum ponto perdido do século passado. Quando um apresentador particularmente sem graça me disse com um certo ar de superioridade que não havia necessidade de mais um livro sobre um tema tão marginal quanto a arte de fazer apresentações, eu soube que o mundo estava numa bela encrenca, e que precisaria defender os argumentos a favor da arte de fazer apresentações com todas as forças.

dica
Por meio de trabalho duro, inteligência e energia, você ainda consegue se destacar como apresentador na área de negócios.

Alicerces em boa quantidade e qualidade estão sendo lançados para os jovens na maioria das escolas inglesas e por iniciativa das organizações dedicadas à apresentação que descrevi. Isso sugere que há uma mudança fundamental na opinião e na prática. É o momento em que o mundo toma consciência de que a "capacidade apresentacional" tem o poder de virar a maré de uma reunião de acionistas ou de uma proposta segundo a qual a real mudança de opinião confirmará o treinamento para a arte de fazer apresentações como uma atividade em consonância com as tendências atuais. A consolidação do talento de alguém como o britânico Stuart Rose ou, mais recentemente, o surgimento de alguém como o holandês Marc Bolland – ambos executivos destacados da rede varejista Marks & Spencer –, não são mais vistos como casos isolados. O tom cada vez mais de confronto registrado nas reuniões de investidores e acionistas de instituições de grande porte coloca as habilidades para o debate, no caso dos executivos seniores, no topo da lista da agenda de desenvolvimento executivo.

Como chegar ao desempenho *fator X*

É hora de marcar alguns cartões e refletir sobre os desempenhos que vi nos últimos trinta meses ou mais nas centenas de apresentações a que compareci e vi até o fim. Faço isso em três dimensões:

1 A percepção geral do evento em termos de organização, local e impacto teatral.
2 O que de melhor os apresentadores trouxeram; o que e por que podemos aprender com eles.
3 Os estilos individuais e por que uma só medida nunca, jamais, servirá a todos.

O comentário generalizado é que há um padrão consistentemente mais elevado de desempenho do que o que víamos vinte ou trinta anos atrás. As expectativas são mais altas em todos os lados. Quando algo dá errado – como um vídeo que não toca –, há uma leve irritação e, no entanto, uma inclinação a seguir em frente. Todo mundo está de cabeça um tanto mais fria. O evento é menos algo com inicial maiúscula do que já foi.

Talvez a observação mais esclarecedora venha do mestre da apresentação e um dos mais bem pagos do ramo, sir Ken Robinson, astro do TED, guru, escritor e contador de histórias sobre educação. Ele é bom e esperto o bastante para reservar os críticos dez minutos ou pouco mais de abertura da sua fala para estabelecer uma relação com sua audiência e pensar em como estruturar o resto da sua sessão – que dura uma hora ou até mais – com quem está lá, de forma a maximizar seu impacto. Esse é o cuidado supremo para colocar uma palestra na melhor forma possível e pesquisar bem fundo as necessidades da plateia. Isso é realmente o fator X.

Locais e ambiência

Recentemente, vi apresentações e eu mesmo fui o palestrante em conferências nos lugares mais distantes do mundo, como China, Lord's Cricket Ground, Royal College of Obstetricians and Gynaecologists (no Regents Park, em Londres – um lugar incrível e até um pouco grandioso) e um hotel de luxo em Dublin, na época em que estávamos sob a nuvem de cinzas vindas de um vulcão da Islândia.

A escolha de locais para esses eventos é hoje praticamente infinita. É verdade que, na Inglaterra, em outros tempos, as faculdades de Oxford e Cambridge, os edifícios do Parlamento, a Royal Opera House, o estádio Twickenham ou os palácios reais históricos se mostravam bastante reticentes quando se tratava de abrir suas portas para algum tipo de comércio, mas hoje negócio é negócio – e, por um preço, portais anteriormente tidos como "sagrados" são abertos de par em par para todos nós.

A esses casos parece que se aplicam três lições-chave:

1 Raramente há um espaço perfeito; porém, a maioria deles é muito boa. Desde que os níveis de serviço sejam adequados e o local seja bem iluminado, limpo e em condições de receber uma audiência, o resto é com o programa. Se o espaço tem um toque de classe, como o do Lord's Cricket Ground e o da Royal Opera House, tanto melhor.

2 O que mais importa é o modo como o evento é montado e como as expectativas são gerenciadas.

3 Os detalhes organizacionais também importam, e a grande jogada é marcar muitos pontos por distinções que tenham relevância. Então, nesse quesito, eu coloco entre os melhores os seguintes locais:
   – a sala de conferências dos escritórios Bloomberg em Londres, pela comida muito boa, leve, moderna, em estilo de bufê (café da manhã e almoço);
   – o Royal College of Physicians (Faculdade Real de Medicina), pelos assentos mais confortáveis e o auditório em plano inclinado mais impressionante de Londres;
   – o escritório da consultoria Mercer perto da Torre de Londres pelo panorama (a vista importa, e muito: passe oito horas trancado

numa conferência em um local subterrâneo, e a capacidade de pensar criativamente se dissipa bem depressa;
– o Gleneagles Hotel, pelo belo espaço e pelas fabulosas salas para grupos em separado.

No fim do dia, a verdadeira chave não é como o sushi estava bom ou como o lugar tinha características fora do comum. (Sally Gunnell, recordista olímpica e mundial dos quatrocentos metros com barreiras nos anos 90 e apresentadora de TV), tem seu próprio pequeno centro de conferências em sua cidade, Steyning, e ela serve o café. Nem preciso dizer qual é a sensação de você ouvir uma ganhadora de medalha de ouro perguntar: "Um ou dois torrões de açúcar?". De qualquer forma, porém, se não for uma bela conferência, açúcar nenhum vai adoçá-la o bastante.) O que todos nós lembramos é o que foi dito e como foi dito. Temos a expectativa de que as coisas vão funcionar direito – e consideramos falhas de cronograma, tecnologia etc. como evitavelmente amadorísticas.

dica

Coloque um número de pessoas suficiente para ajudar delegados que fiquem confusos ou se dispersem. (O pessoal do TED é muito bom nisso, como também a turma da London Business School – todos muito profissionais.)

Quem são os melhores do ramo e por quê

As grandes mudanças são no sentido de:

- conteúdo e inteligência – nesse departamento, agradeço ao TED e a Barack;
- autoconfiança e comando da plateia – agradeço aos comediantes de stand-up;
- pensadores radicais de negócios – agradeço a Seth Godin, Martin Lindstrom, Malcolm Gladwell.
  Nos velhos bons tempos, ou nos maus bons tempos, um palestrante

se postava em frente à plateia em uma conferência e despejava um longo comercial da sua organização. Eu me lembro de ter visto palestrantes da Heinz e do Burger King fazerem isso e se sentirem vexados. E oradores com grande potencial para entretenimento cometiam um erro em nome da discrição e se transformavam de assessores governamentais notavelmente indiscretos a mudos teimosos no palco, dependendo se eram ou não aplicadas as regras estabelecidas pela Chatham House (organização que tem a missão de analisar e promover o entendimento de importantes questões internacionais e da atualidade). Esse comportamento vale também na China (talvez sem surpresa para ninguém), onde, numa sessão de perguntas e respostas a que assisti, o palestrante, quando solicitado a responder uma pergunta até inocente, balbuciou: "Sem comentários... não tenho nada a dizer".

Grandes experiências

É estimulante ver o que acontece nas Olimpíadas, acima de tudo para comprovar apenas o que o treinamento de apresentação pode fazer.

Todos os atletas são muito bons. Os piores entre eles ganhariam medalha de bronze em comunicação; e os melhores, medalhas de ouro em apresentações. E todas essas habilidades foram aprendidas por eles.

Sally Gunnell

Ganhadora de medalha de ouro nos quatrocentos metros com barreiras em Barcelona em 1992, ela demonstra a maturidade que decorre de aprender sobre si mesma e sobre competição. Ela é notável na tarefa de preparar as coisas que levam ao grande evento. Melhor ainda quando conta como bateu um recorde mundial mesmo achando que ia morrer de gripe.

Lição: conte a história como ela aconteceu e reflita sobre o que realmente estava por trás disso. Assim você descobre o poder da autoavaliação.

Colin Jackson

Ganhador da medalha de prata nos 110 metros com barreiras nas Olimpíadas de 1988, recordista e campeão mundial da modalidade em

1993, Colin é equilibrado, charmoso e tranquilo, sem nenhum sinal de tensão. Ele é embaixador da inteligência, do esporte e das grandes façanhas. Conta grandes histórias sobre a Vila Olímpica e a sensação de estar nesse evento que acontece a cada quatro anos.

Lição: aja com humildade, faça a audiência compartilhar do seu sucesso e, como disse Obama, "projete sempre uma imagem de confiança".

Descobertas extraordinárias

Del Roy

Pesquisador bolsista no Massachusetts Institute of Technology, tem como área de especialidade os aspectos neurológicos do aprendizado. Para ajudar em sua pesquisa, ele colocou câmeras e microfones em todos os aposentos do seu apartamento, de modo que ao longo de três anos ele e sua equipe conseguiram estudar bastante bem – em regime de 24 horas, sete dias por semana, 365 dias por ano – o processo de aprendizado de seu filho recém-nascido. (Deu para perceber como evolui na fala, de "gaga" a "*water*" – água.) Mas são os primeiros passos do bebê que representam um momento "apresentacional" de ouro. Quando a criança tenta dar o segundo passo, Del Roy exclama: "Uau!". É completamente mágico. Del Roy usa seu material com notável reticência. É material para assistir em silêncio total, como aqueles em que "dá para ouvir o zumbido de uma mosca". E está no site do TED.

Lição: se você tem um belo material, garanta que ele fique simples e curto. Deixe que os seus acessórios de cena (nesse caso, um filme) deem o recado. Seja humilde – é sinal de inteligência.

Jill Taylor

Especialista em cirurgia cerebral, Jill descreveu em público como aconteceu seu próprio derrame. É uma história que ao mesmo tempo aterroriza e fascina. Algumas vezes, é desconfortavelmente emocional, mas é um relato supremo de uma batalha entre análise e catástrofe.

Lição: exponha seu lado pessoal. Seja específico. Não omita detalhes. Conte a história como ela é.

Visões de vida

Jayne Haines

Especialista sênior em Recursos Humanos na GlaxoSmithKline. Ela ama seu trabalho, sua jovem família e adora correr. Conta como lhe avisaram para não vencer corridas na escola, com conselhos como "Deixe os outros ganharem também". Ela fala sobre como correr toda manhã às seis horas limpa seu cérebro e a torna criativa. Ela tem seu esquema diário muito bem organizado: trabalho / vida / corrida. Está de pé às 5h30. Chega ao trabalho às 7h30. Volta para casa às 16. Vai para a cama às 21. Ela descreve seu conceito de correr como seu "fio vermelho de vida".

Lição: sem anotações. Sem acessórios de cena. Fica no centro do palco, bem tranquila. Honesta. Fornece visões fascinantes de uma mente calma, confiante e competente.

Matthew Taylor

CEO da Sociedade Real das Artes (Royal Society of Arts). Antes disso, foi chefe da Unidade de Políticas Públicas no gabinete oficial do primeiro-ministro Tony Blair. É um orador incrível, com muito jogo de cintura. Em suas falas, aparece a ideia de que temos cérebros pré-históricos no mundo moderno, de que a sociedade trabalha com o tipo errado de incentivos e de como fazer grupos de pessoas trabalharem juntos de maneira eficaz – esta, para mim, a questão mais quente da nossa época. Ele consegue falar muito bem durante horas. Seu pai, Laurie Taylor, é um famoso profissional de comunicações. A arte de falar bem, nesse caso, veio com os genes.

Lição: seja gentil e, se isso for natural em você, faça com que apareça. O ideal é ser aberto, de boa índole, como Matthew. O segredo é que ele nos faz querer compartilhar de sua maneira de pensar sem sermos intimidados por ela.

Sir Ken Robinson

É mestre na arte de contar histórias e propõe ensinar arte com orgulho. Conversa com a plateia, dirige perguntas aos presentes constantemente e faz gozações em cima de si mesmo. Numa palestra dele, a gente aprende, por exemplo, que, para os homens, cozinhar ovos é uma tarefa singular, que exige muito foco.

Lição: ele adora falar com as pessoas a respeito de coisas e histórias a que dá valor. O uso constante de histórias reais dele mesmo e de outras pessoas faz com que tudo o que diz forme um todo coerente. A anedota vence o fato... não é verdade?

Paixão pela vida
Melvyn Bragg
Ele é extraordinário. É a voz britânica das artes, com atividades que vão de criar e apresentar o *South Bank Show* na TV a escrever livros em série sobre linguagem, realizações e a história da Inglaterra como ilha. Cena: Festival de Charleston, East Sussex. Uma grande tenda ao ar livre, lotada com quatrocentos devotos que suam sem parar (está muito quente). Bragg fala sobre sua última obra, *The book of books* (O livro dos livros), sobre a versão inglesa da Bíblia traduzida pelo rei Jaime II. É uma hora de muita paixão – uma hora sobre poesia, democracia e história da Grã-Bretanha. Ele é como um músico de jazz executando temas a respeito de Richard Dawkins, biólogo britânico (ateu) e a insensatez das novas traduções da Bíblia.
Lição: se você tem uma paixão, fique à vontade para deixá-la aparecer. Aprenda a falar com um entusiasmo que todos possam perceber que não está no roteiro. Fale de coração.

Eric Whitacre
Compositor e maestro de música clássica. Tem a aparência de um astro do rock e fala como um astro de cinema muito inteligente. Cativa e faz sucesso. Entende de jovens e de música.
Lição: se você aparenta estar bem e se sente bem, vá lá e deixe que tudo isso apareça. Se você tem uma bela causa, não reprima o desejo de recrutar novos convertidos a ela.

Sal Khan
Fez a transição de analista de fundos *hedge* para superprofessor de matemática. A história dele mostra por que todo mundo deveria ser bom em matemática. Se atribuíssem a você 80% de eficiência em pedalar na bicicleta, isso significaria que você é proficiente em tudo –

a não ser, digamos, em frear. Você precisa de 100% em cada nível de matemática para estar dentro do jogo.

Lição: uma história irresistivelmente simples, contada com a paixão de quem sabe que está com a razão. Ao ouvi-lo, eu me converti.

Andy Stefanovitch

Já o mencionei uma porção de vezes. Ele é desenfreado, desordenado e vive um caso de amor com a mudança. Fala a uma velocidade de 160 km/h e considera a inspiração a única maneira de chegarmos a um mundo melhor. Está determinado a beber tudo o que a vida oferece... até o último gole de excitação, curiosidade e inovação.

Lição: ele é cansativo, mas o efeito é hipnotizante. Stefanovitch é modelo para entusiastas que têm uma pilha de excitações a descrever.

Interpretação dinâmica

Hans Rosling

Sueco, professor de Saúde Internacional no Instituto Karolinska de Estocolmo. É também um gênio com dados. Produziu um programa dinâmico de várias tendências sobre pobreza, saúde, crescimento demográfico etc. que faz hóquei no gelo parecer enfadonho. Dança na frente da sua tela e fica muito excitado com a velocidade com que a China recupera o tempo perdido. Essencialmente, vistas dessa maneira, estatísticas até se tornam bonitas. Dê uma olhada no trabalho dele no site do TED.

Lição: sua animação e o fato de você obviamente curtir o que conta e mostra à sua audiência são altamente cativantes. Produzir visuais de grande impacto ajuda a vencer, se você souber como se comportar com eles. Hans é cidadão do mundo.

John Knell

Diz-se que ele é um dos líderes britânicos do pensamento sobre mudanças e desenvolvimento organizacional. Fundou a Intelligence Agency e é muito bom no palco. Falou em uma grande Conferência das Artes de modo irresistível sobre como nós os ingleses, como nação, precisamos cuidar melhor de nós mesmos e (pelo menos) que toda essa conversa sobre colaboração é muito boa, mas, na verdade, temos pouca prática disso – e não somos nada bons nesse tipo de coisa. Knell é uma voz de inteligência no meio de uma confusão intelectual. *Lição*: se você é inteligente, aja de modo inteligente. Lide com grandes questões. Diga o que pensa. John Knell e Matthew Taylor vêm da mesma origem.

Riqueza de pensamento

Carolyn Porco

Cientista americana, integra a Equipe de Imageamento da Missão Cassini ao planeta Saturno. Está sempre muito entusiasmada com as singulares imagens das luas de Saturno. É impossível não compartilhar sua grande admiração e excitamento. Carolyn conta uma bela história com entusiasmo infantil.

Lição: permita-se o excitamento legítimo que a sua história desperta. Se é algo em primeira mão ou uma grande descoberta, assegure que a audiência também compartilhe o impacto que provoca aquele "Uau!".

Chris Bones

Professor de Criatividade e Liderança na Manchester Business School e sócio da consultoria Good Growth, Bones era reitor da Henley Business School quando o vi fazer uma apresentação pela primeira vez. Ele mostra fluência ao andar pelo palco à frente de slides simples, mas provocativos. "Liderança inspiradora é um oxímoro?", pergunta ele. Bones define liderança como um esporte de contato que requer "influência, julgamento, ímpeto e autoconsciência".

Lição: curta manter uma conversa com seus slides. Você é pago para ser provocador como palestrante.

Margaret Heffernan

Empresária, CEO, empreendedora, escritora e palestrante, que fala de maneira muito vigorosa sobre mulheres e as qualidades que elas têm no trabalho. É calma, lógica e impõe autoridade por seus conhecimentos.

Lição: se você tem uma boa história sobre um tema abertamente emotivo, conte essa história de maneira desapaixonada para capturar a atenção da sua audiência e espalhe sobre ela em grandes quantidades aspectos da vida real e anedotas pessoais.

Uma visão do mundo a partir de um helicóptero
Bobby Rao
Ele já foi diretor de marketing da Vodafone e se tornou sócio da Hermes Venture Capital. Na London Business School, ele ofereceu uma contundente visão geral da colisão de três mercados: internet, aparelhos elétricos de consumo e meios de comunicação. É um apresentador elegante, fluente, que vê o quadro geral.
Lição: tente ir além do detalhe e oferecer perspectiva à sua plateia. Dê a eles a sua experiência.

Mike Geoghegan
Ex-CEO do HSBC. Considerado o Geoffrey Boycott do ramo bancário, ofereceu uma visão geral do mundo na RSA que se concentrou na próxima geração de economias em crescimento – Chile, Indonésia, Vietnã, Egito, Turquia, África do Sul (grupo conhecido pela sigla Civets).
Lição: com Geoghegan, está garantida uma bela e fascinante viagem pelo mundo. Adorei a descrição que ele fez do Brasil: "Em uma década, passou de patinho feio a príncipe encantado". Uma frase de efeito.

Phil Redmond
Importante escritor e produtor de TV, mais conhecido pela série *Brookside*. Foi também a inspiração para transformar Liverpool em Cidade da Cultura. Na grande Conferência das Artes, Redmond falou com ironia e verdade típicas dos que têm o sotaque *scouse*: "Há muita masturbação mental e muita conversa fiada sobre as artes". Ele é um homem de negócios – e isso fica aparente... como por exemplo em sua ideia radical de colocarmos à mostra todas as boas imagens que tivermos, em vez de escondê-las. Ele emite um sinal de despertar.
Lição: Redmond deu um grande exemplo de como alguém tão importante quanto ele pode ser ainda maior. Ele sempre diz o que pensa – e mostra que a verdade é muito poderosa.

Uma pessoa maravilhosa
Amy Williams
Ela ganhou a única medalha para a Inglaterra nos Jogos Olímpicos de Inverno de 2010, em Vancouver. Levou o ouro na terrível competição

de *skeleton*. Essa bela e brava mulher, nascida em 1982, fala da sua experiência de maneira inspiradora (mas nervosa, pois ela é ainda nova na arte de fazer apresentações) e se concentra principalmente na equipe que a apoia. Ela é bem o tipo de pessoa que trabalha em conjunto. Usa anotações e é uma excelente contadora de histórias. Vamos admitir, é claro, que ela tem mesmo uma história fantástica.

Lição: conte a história de forma direta e sem rodeios se você não é profissional e deixe sua modéstia lhe dar cor. O senso de surpresa dela própria em relação ao que fez é realmente genuíno, ela não teria como "fabricá-lo". Seja você mesmo.

Sean Meehan

Professor de marketing no IMD (International Institute for Management Development) em Lausanne, na Suíça. Falou no quartel-general da Visa em Londres a respeito de seu livro *Simply better* (Simplesmente melhor) e sobre o mundo do marketing. Qualquer empresa pode aspirar a ser uma Apple, ele refletiu, se se dedicar de forma implacável a melhorar. Meehan é um orador charmosamente confiante. Impossível não curtir o que ele fala.

Lição: perguntei a ele sobre cada um encontrar a própria voz. Ele diz que isso vem de uma vida de falar em público. Agora, todo desempenho é avaliado no IMD, e mudanças acontecem para que tudo se torne mais simples. Slides simples. Sem anotações. Respeito com os anfitriões e a plateia. A maneira de se apresentar não muda; o que muda são as ocasiões em que as apresentações acontecem.

Oradores muito engraçados

Sir Ranulph Fiennes

Ele é muito original. Autodepreciativo. Irônico. Vem da velha escola britânica. Provavelmente louco, ao descrever como perdeu quantidades alarmantes de peso em sua jornada transártica e transantártica, além de dez dedos, das mãos e dos pés. À pergunta: "Com certeza, deve haver uma maneira mais fácil de ganhar dinheiro, não?", ele respondeu: "Diga uma". Ele é maravilhoso.

Lição: seja uma versão maior de você mesmo. Crie surpresas com seus slides. Provoque a plateia. Seja modesto quando relatar seus atos de "bravura".

Gavin Stride
Executivo principal do Farnham Maltings, centro criativo para as artes cênicas, Gavin é uma figura iconoclástica das artes. Na Conferência das Artes, ele se sentou – sim, você pode fazer uma apresentação sentado – de cara amarrada e disse: "A grande Sociedade, ou a Sociedade, como minha mãe costumava dizer..." e fez várias intervenções afiadas como punhais. Ele é um homem muito engraçado por suas observações e não por suas piadas.

Lição: aguce seu senso de observação e seu senso de curiosidade como Gavin.

Falando comigo

Khaled Tawfik
Ele é um estudante no nível MBA na London Business School. Tawfik nasceu e foi criado no Cairo. Durante a Primavera Árabe, voltou ao Egito para ficar com a família e todo mundo engajado no movimento na praça Tahrir. Essa foi a história que ele contou, durante os vinte minutos em que permaneceu sozinho no palco na Bloomberg, em Londres, em maio de 2011. Ao finalizar, Tawfik disse: "Todos nós precisamos ser líderes agora".

Lição: algumas histórias precisam somente ser simples, claras e autênticas. Na de Tawfik, não houve enrolação – e sim apenas aquela sensação de arrepiar espinha, deflagrada pelas palavras "Eu estava lá".

Kevin Eyres
Ele é diretor-gerente do LinkedIn na Europa. Falou pela primeira vez no evento do TED na Bloomberg de Londres. Kevin foi muito bem, mas houve 22 palestrantes depois dele. Alguns eram mais carismáticos; porém, semanas depois, a clareza de suas mensagens voltou a ecoar: "Você tem de cuidar da marca do seu emprego"; "Cada incumbência no trabalho é um degrau". A mais forte foi sua fala de indução aos novos recrutas: "Bem-vindos a uma das melhores companhias do mundo... nós vamos transformar vocês".

Lição: as primeiras impressões contam, mas é o conteúdo que se impõe no final. Apresentações têm como alvo aquele momento de "brilho", mas grandes apresentadores também lançam sementes.

dica

Demonstre paixão, mesmo que você tenha de colocá-la em rédea curta para que se adapte à sua personalidade.

recapitulando

Em todas as minhas experiências de treinamento, verifico que a conversa sempre volta a três pontos: conteúdo, modelagem e refinamento do que é dito.

É claro que há problemas de estilo, como se sentir desconfortável, tímido ou incoerente. O que você veste importa apenas na medida do que você consegue transmitir com sucesso – Steve Jobs nunca foi nenhum ícone de estilo, mas o que ele vestia funcionava para ele.

Agora, a voz importa, sim, e todos os melhores apresentadores se dedicaram muito a treiná-la.

Então, ao dar uma olhada no que fizeram todos os meus apresentadores favoritos, vemos que eles:

- tinham algo que valia a pena dizer;
- diziam o que tinham a dizer de modo cativante e envolviam a audiência em sua história;
- foram de certa forma "engrandecidos" para preencher aquele palco, mas não eram a personificação de alguém diferente deles mesmos;
- usaram anedotas pessoais, que tiveram efeito poderoso;
- conquistaram a audiência com sua habilidade e profundidade de conhecimento;
- foram gentis e demonstraram gosto por estar lá;
- mantiveram tudo simples;
- curtiram seus slides e brincaram com eles;
- mostraram muita energia.

Veja o que há no site do TED, vá a conferências, torne-se estudante de quem faz uso da palavra falada em todos os campos – comédia stand-up, noticiários de rádio e TV, gurus etc. Você vai entender como é poderoso o impacto que uma boa apresentação pode ter.

Parte 5

Como se tornar excepcional – juntando todos os elementos

H á duas possibilidades para conseguir rapidamente o tipo de aperfeiçoamento que qualquer um que comprou este livro vai querer:

1 Treinar de duas maneiras:
   – em teoria – pela assimilação e entendimento das lições contidas na obra;
   – na prática – pela decisão de fazer tantas apresentações quanto possível, pequenas ou grandes, para colocar em ação essas lições.
2 Estudar muitos apresentadores (bons ou ruins) para aprender quais são os segredos reais que funcionam no palco, em contraposição aos listados nas páginas do livro.

Um dia, todos nós seremos excepcionais

Quando novas escolas que começam suas atividades nos dias de hoje afirmam como seu objetivo primário de ensino o domínio da língua do país – com os fatores críticos, que são apetite para a leitura, fluência na escrita, confiança e competência na comunicação oral –, você já sabe que o mundo da apresentação vai sofrer mudanças.

Fazer boas apresentações é uma habilidade-chave para os negócios. Deveria estar em todos os cursos de MBA, deveria ser o primeiro item em qualquer programa de treinamento de graduação. Maus hábitos se enraízam tanto mais quanto mais velho se torna o executivo – e os que são apresentadores seniores e não treinados foram mal encaminhados por seus chefes no passado.

Fazer apresentações não é uma habilidade pessoal "boa de ter" – e sim básica, como ser capaz de escrever um documento decente ou ler uma folha de balanço. Cada vez mais as pessoas são o diferencial competitivo fundamental nos negócios. Como as pessoas pensam, como criam coisas por meio do trabalho em conjunto e como administram as correntes de trabalho que realizam grandes processos – esses são os fatores que fazem a diferença. Mas, para que pessoas e equipes tenham êxito, elas precisam ser grandes comunicadores e grandes compartilhadores de ideias.

Por que você deve ter a excelência como meta

Em sua essência, a habilidade de fazer apresentações tem a ver com a capacidade de comunicar ideias. E são as ideias que impulsionam e modificam os negócios; por isso, não ser capaz de se apresentar bem é ser deficiente em uma das habilidades-chave no ramo dos negócios. Ser um apresentador notável é ter o potencial para alcançar o sucesso no mundo do chamado *big business*.

Você atingirá a excelência por meio do desejo de melhorar, da prática constante, do trabalho duro na preparação e de reflexões profundas sobre o conteúdo. Quanto mais trabalhar nisso, melhor vai ficar. E quanto melhor ficar, mais vai ser solicitado a fazê-lo.

CAPÍTULO **13**

A passagem de **bom** para **excepcional**

A ESTA ALTURA, você já terá feito algumas descobertas a respeito de si mesmo e de algumas técnicas que necessita para se capacitar a ser excepcional. Também já deve ter descoberto que está se saindo melhor do que jamais acreditou que aconteceria; e que, com um pouco mais de esforço, conseguirá ser ainda melhor.

Até agora a capacidade de fazer apresentações não ocupou a *pole position* nas suas reflexões profissionais, mas chegou a hora de mudar. Isso porque tornar-se um apresentador notável é a coisa mais importante como fator para definir sua carreira que você pode fazer. Como as coisas são assim, comece já.

Mudança e compromisso

Quero que faça uma promessa: na sua próxima apresentação, você vai triplicar a quantidade de tempo dedicada a ela. Antes que vá muito longe nisso, quero que dê notas a você mesmo em cada um dos tópicos que se seguem, numa escala de 0 a 5, na qual 5 quer dizer "excepcional", e 0, "pavoroso":

- contexto;
- história;
- cor;
- ilustração;
- desempenho.

Se as suas notas somadas chegarem a qualquer número acima de 18, isso significa que você está se aproximando da "zona de excelência".

Você vai descobrir que conseguirá uma melhora instantânea simplesmente pelo fato de se concentrar nessa estrutura. Mas as chaves reais agora estão no conteúdo. Se sabe que tem uma história atraente, você se sentirá muito mais confiante e mais inclinado a fazer aquele esforço extra.

Assim, quero que dedique um longo tempo (atravessando a noite, se houver necessidade) ao conteúdo, ou seja, à história e às cores que quer introduzir nessa história.

A boa notícia é que você ficará perplexo com o nível de aperfeiçoamento que vai conseguir. A má notícia é que vai ficar muito cansado – e, se não ficar cansado, será porque não está dando duro o bastante.

Acertar a história é o começo que vai impulsionar todo o resto

Não vai ser fácil, porque você provavelmente se sentirá como quem vagueia por território desconhecido, no qual a ideia de construir uma história notavelmente atraente é estranha à maneira com a qual você trabalha. O que eu lhe peço é algo que seja:

- descritivo e vívido;
- informativo;
- capaz de prender a atenção.

E isso exige, é claro, muito trabalho duro.

Pegue uma folha de papel e comece a tomar notas – escreva tudo o que vier ao seu cérebro. Circule palavras que parecem convidar a criar temas; sabe como é, são aquelas palavras e expressões em torno das quais outras se agrupam como em cachos. Palavras e expressões como "mudança", "novas pessoas", "rompimento", "simplicidade", "criatividade", "descoberta importante", "vencer"... estas e muitas mais. Forme grupos com elas e procure conexões que se apliquem à sua história.

> **dica**
> A verdadeira excelência se instala quando você começa a fazer conexões entre temas.

Como atuam os apresentadores excepcionais?

Eles geralmente utilizam uma de quatro abordagens que você vai reconhecer quando for a um evento e elas estiverem na fala do apresentador. Elas servirão a você também.

- *O poder da inteligência.* Isso significa aplicar pensamento levado em conta. Pessoas como acadêmicos, servidores civis seniores ou peritos em qualquer campo o usam com grande eficácia.
- *O apresentador como comentarista.* Aparece quando ele usa ironia ou vê as coisas de diferentes pontos de vista e faz comentários sobre eles. É uma fonte comum de humor "cara de pau".
- *O poder da modéstia.* Ou "Sou muito esperto, mas não me levo a sério demais". Não há nada melhor do que ver o grande chefe agindo como ser humano, ou um perito falando a não peritos no nível destes últimos sem demonstrar superioridade. Não se levar a sério demais é uma ótima maneira de transmitir vários pontos de vista.
- *O poder do conhecimento e da experiência.* O conhecimento profundo o leva a ser muito simples e muito seguro. Para Simon Walker, ex-executivo principal da British Private Equity e Venture Capital Association, pessoas que aludem casualmente a alguma coisa enquanto aparentam ter toneladas de conhecimento sobre ela deveriam optar por revelar o que sabem. É sempre ótimo ouvir um perito falar sobre o que sabe, seja ele um esportista ou Bill Clinton. No seu caso, fale sobre o que realmente conhece, e conseguirá o mesmo efeito.

O poder da simplicidade e da brevidade

Esta é uma regra simples, que por si mesma acabará levando você à excelência. Autores de muito talento, entre os quais o escritor americano Mark Twain (1835-1910) reconhecem amplamente que é muito mais difícil escrever peças curtas de qualidade que boas peças longas. O chamado fluxo de consciência é fácil, mas sonetos ou *haiku* (forma de poemas curtos originária do Japão) são bem mais difíceis de escrever do que baladas como as que foram populares nas Ilhas Britânicas até o século XIX.

Reduzir sua apresentação à forma perfeita exige esforço e tempo. Um número grande demais de apresentações foi, por assim dizer, mal cozido – o molho ficou fino e sem consistência, e os ingredientes não se misturaram bem. Quando for ordenar os elementos da sua apresentação, mantenha à mão um lápis azul que será o seu "editor de excelência".

Há pouco tempo, ouvi de Ian Parker, ex-CEO de divisões-chave da Zurich Financial Services, outra boa razão para usar gráficos concisos: "Não plante uma armadilha para você mesmo ao se colocar debaixo de uma montanha de palavras num slide. Pense em como é embaraçoso aparecer a frase 'As vendas continuam a crescer rapidamente' quando você teve apenas um ridículo 'soluço' de aumento no setor. Usar apenas a palavra 'crescimento' lhe dá flexibilidade". Ele está com a razão. Suponho que você diria "O crescimento tem sido ótimo, mas será que vai continuar? Vejam o mês passado, quando tivemos vendas fracas". No entanto, a história subjacente ainda será boa se conseguirmos recuperar o impulso das vendas. Também serve para você demonstrar que não se pode dar nada como favas contadas e que você não pode "tirar os olhos da bola".

dica

A flexibilidade para responder aos eventos à medida que ocorrem é o que a gestão moderna precisa ter – e o que os apresentadores modernos devem demonstrar.

Um número exagerado de pessoas inadvertidamente trata suas apresentações como bilhetes suicidas. Aparecem com histórias de anteontem e coisa ainda pior... As mal cozidas e mal digeridas divagações deles na tela talvez os ajudem a seguir o caminho traçado, mas, por favor, tenham dó da pobre plateia! Na próxima vez que revisar uma apresentação que vai fazer, assegure-se de perguntar: "Como posso reduzir o material que está aqui? Como posso retirar palavras dos slides? Como consigo um foco claro nas questões? É muito bom conselho garantir que você se mantenha conciso e que sempre tenha "menos" como objetivo porque, como sabemos, menos é mais.

Quanto melhor você fica, mais sua curiosidade cresce

Seja incuravelmente curioso. O recheio de todas as apresentações excepcionais é o fora do comum, o surpreendente e a novidade. Também é verdade que todas as pessoas com grande apetite pela vida e um insaciável interesse nela são em geral as companhias mais divertidas. Grandes apresentadores descrevem as coisas com cores vívidas, com a excitação de alguém que está vendo alguma coisa pela primeira vez. Eles têm um senso infantil de curiosidade e apetite por descobertas; por isso, tente ser como eles.

O melhor exemplo que tenho disso vi no Festival do Livro Hay-on-Wye, essa pequena localidade no País de Gales, conhecida como "a cidade dos livros". A feminista e escritora australiana Germaine Greer dava uma *master class* sobre o poema de William Blake "*The sick rose*" (A rosa doente). O poema tem apenas oito linhas, e ela passou uma hora dissecando-o. Foi uma das melhores horas que já passei em muito tempo.

Essa mulher agora madura sentou numa cadeira no centro do palco e falou com muita rapidez e intensidade. Demonstrou uma curiosidade feroz. Queria realmente saber o que o poema significava. Ela o interrogou, despejou perguntas sobre ele... e foi uma fonte incansável de "Não captei", "Não sei", "Não sei ainda". Ela batalhou com as palavras e as colocou no chão, onde as cobriu de pancadas até conseguir chegar a seu significado. Tudo foi completamente absorvente e totalmente excepcional.

A excelência vem de falar e ouvir

A excelência anda por aí em botecos e lojas – e não confinada a escrivaninhas. Essa questão é séria. Pessoas que trabalham com outras pessoas têm maior probabilidade, na média, de produzir material notável do que pessoas que só atuam sozinhas. A excelência se encontra dentro de você, não fora. O que você faz é proporcionar a eletricidade que junta os elementos dela.

Tom Peters disse: "Ninguém jamais perdeu dinheiro com viagens". Ele tem razão, na medida em que a realidade de sair de trás da sua escrivaninha e ver coisas novas pode estimulá-lo a atuar e a pensar com mais excelência. O aeroporto de Heathrow, em Londres, vai inspirar você. Não vai? *Não vai?*

Bem, deveria… Heathrow *vai* inspirar você, sim, pois é hoje uma vasta cidade de pessoas em trânsito e muitas lojas, em especial o Terminal Cinco. Sim, posso garantir, toda forma de vida humana está lá. É uma delícia para qualquer pesquisador de mercados. Passe algum tempo lá prestando atenção, olhando, saboreando, tocando e cheirando. Você aprenderá mais sobre a natureza humana na perfumaria das lojas Selfridges, Harvey Nichols ou Harrods do que jamais conseguiria em um escritório.

Você também aprenderá mais ao almoçar com um amigo cativante do que se ficar lendo jornais e revistas, o que não levaria muito tempo de qualquer forma; espera-se que o almoço dure bem mais. A excelência vem de prestar atenção, absorver e então recriar. Ela não existe em mosteiros ou conventos intelectuais.

dica

Se tem problemas com uma apresentação, marque um almoço com alguém interessante e de opinião forte.

A excelência vem através de aprendizado

Trabalhe com profissionais, com os melhores do ramo em todos os sentidos e com os que sejam bons professores. Isso porque a excelência só virá se você se obrigar a ir além e programar para si mesmo desafios assustadores. Um desafio que de início evoque pensamentos como "De fato, honestamente eu não conseguiria fazer isso, está além da minha capacidade" – mas, que uma vez enfrentado, leve você a novas alturas.

A passagem de bom para excepcional   211

No caso de algumas pessoas que treinei, parecia improvável que fossem algum dia se tornar apresentadores competentes. Hoje, eu diria que estão muito perto de se tornar excepcionais. A lição a ser aprendida é que você descobrirá que consegue se tornar excepcional mais depressa se trabalhar com especialistas em treinar apresentadores.

Steve Jobs aprendeu e, como ele, também o fazem hoje os melhores e mais espertos entre os executivos. Ninguém se torna excepcional – seja cantor, golfista, atleta, ator, escritor – ou tem êxito em qualquer outra carreira se não usar a experiência e inspiração de um bom professor para ajudá-lo a aprender.

dicas
O caminho que leva você até a zona da excelência

- *Assuma o risco de se tornar excepcional.* Quando fazemos uma apresentação, nossos instintos nos inspiram a nos refugiar na mediocridade. Uma "apresentação corajosa" soa como a imortal frase "Essa foi uma decisão corajosa, senhor ministro", na série da BBC *Yes, minister* (Sim, ministro) – decodificada, ela quer dizer "uma decisão temerária e possivelmente danosa para a carreira". Ainda assim, é impossível tornar-se um apresentador excepcional se você sempre evita correr riscos. Por exemplo, diz-se que Rupert Howell, diretor-gerente do braço comercial da ITV (maior rede de TV comercial do Reino Unido), costumava cantar no início de cada apresentação que fazia quando trabalhava em publicidade. Bartholomew Sayle, que dirigiu o Breakthrough Group, fazia a mesma coisa para provar até onde estava disposto a ir. Eu fiz algo parecido numa festa de casamento há pouco tempo. Isso se chama correr riscos – e, se você estivesse aqui e ouvisse a minha voz, tomaria consciência que é de fato uma iniciativa de risco muito alto. Quem sabe o que Sebastian Coe (ex-atleta, presidente do Comitê Olímpico Britânico) fez durante a apresentação da candidatura das Olimpíadas de Londres, mas dá para a gente ter certeza que não foi nada comum. Meu cunhado costumava dizer: "Ousadia, seja minha amiga!", antes de uma tacada levemente arriscada no golfe – e, surpreendentemente, com frequência é isso mesmo que acontece.

- *Roube ideias notáveis.* Foi Picasso quem disse "amadores tomam emprestado, profissionais roubam". Então, se quer ser excelente, você tem de ser, acima de tudo, profissional. Outra frase de que eu gosto é que, se você toma emprestado um pensamento, chamam isso de roubo; mas, se rouba montes deles, passa a ser pesquisa. Então, pegue sua "trouxinha de saques" e vá roubar por aí. Para começar, observe os melhores comediantes de stand-up e veja como trabalham. Veja o inglês Jack Dee e descubra como ele se tornou "o rei do stand-up descontraído". Isso aconteceu porque ele fracassou ao tentar ser um cômico do tipo mais entusiasmado e acabou por adotar o que se tornaria seu estilo característico. Observe meu xará Rich Hall para ver como funciona a raiva controlada e para morrer de rir com uma impressionante e debochada crítica sobre contadores ou qualquer outro profissional que desperte a fantasia dele quando for assistir a uma de suas apresentações. Assista ao show de Jo Brand e entenda por que ela é a rainha da ironia. Observe Rowan Atkinson (o popular Mr. Bean) para aprender o que é sentir-se ameaçado pela paranoia e ouvir frases em que cada palavra é como uma faca afiada. Num tom mais sério (mas não muito), dê uma olhada em Andrew Neill no programa *This Week*, na BBC, para sentir o que é um *tour de force* da arte de se apresentar explorado por alguém que usa tudo quanto é truque disponível.

  Aproveite toda chance que tiver de ver profissionais em ação e depois aproprie-se do melhor material, técnicas e atitudes deles que pareçam funcionar para você – seja exibido mesmo.
- *Tornar-se "muito bom" significa ser "muito alguma coisa...".* Ou seja, o perigo de ser reservado demais está na simples tendência humana de querer desaparecer na multidão. À medida que nossos nervos pioram, queremos nos esconder debaixo da coberta, chupando o dedo. Mas precisamos ser muito corajosos para nos destacarmos. Veja a seguir há algumas opções:
  - *Mostre que você tem cultura.* Isso funciona de forma excelente se você já for culto e tiver o material para ser bem-sucedido nessa área.
  - *Seja muito engraçado.* Isso tem tudo a ver com risco e recompensa. Um dos mais famosos personagens de Clint Eastwood, o

truculento detetive Dirty Harry, numa cena em que já disparara várias vezes, informa a um bandido encurralado que não sabe se ainda tem balas para atirar e pergunta se ele está disposto a fugir correndo, com o risco de ser alvejado pelas costas: "Você sente que está com sorte, vagabundo? Será que está mesmo?" Eu tenho opinião muito parecida sobre o humor nos negócios. É melhor evitar tentar ser engraçado, a não ser que você esteja muito seguro de si mesmo e, mesmo assim, tenho minhas dúvidas se dá mesmo certo.

– *Seja bem teatral*. Isso funciona de maneira notável, dependendo da personalidade do apresentador e da natureza da plateia.

– *Seja muito confiante*. Isso sempre vai funcionar, desde que "confiante" não se torne "arrogante". Apresentadores confiantes acalmam temores e hostilidade de uma audiência; apresentadores muito confiantes inspiram quem está na plateia.

– *Seja inteligente*. É excelente ter como apresentador alguém que convence você que de fato entende o que se passa na mente do consumidor. George Davis, criador da linha de moda Per Una para a rede inglesa de lojas de departamentos Marks & Spencer, foi bem convincente ao proclamar que realmente, realmente entende as mulheres e o que elas querem. Ele sempre soa como alguém inteligente e por dentro do que interessa.

– *Seja rabugento*. Não recomendo isso, a não ser que você seja como Tom Peters, que alterna reclamações e elogios e recebe uma fortuna para fazer isso.

– *Seja muito entusiasmado*. Um número realmente excessivo de gestores de negócios parecem massacrados por seus chefes ou pelos rigores do trabalho, a ponto de parecerem sem entusiasmo, cansados e entediados. Entusiasmo nas apresentações leva você à "zona de excelência" mais rápido do que qualquer outra coisa que me ocorre.

■ *Confie em você*. Uma vez, no golfe, eu estava preparando uma tacada por cima de um lago e alguém me disse: "Confie no seu balanço". Poucos anos depois daquela inevitável tacada com a bola caindo na água, do alto de uma rampa, eu realmente consegui entender o que de fato estava por trás daquilo. Se você não confia no equipamento e no talento que tem, então está em maus lençóis. Seja o primeiro a elogiar a si mesmo – seja o primeiro a dizer como foram ótimos os bons trechos da sua apresentação e confiante o suficiente para criticar as passagens mais pobres.

Há um conselho que quero dar; quero que você o copie e mantenha sempre consigo (no bolso, na carteira), se for mesmo genuíno seu esforço para se tornar um apresentador excepcional:

Você é um apresentador excepcional. Seja você mesmo. Seja ativo. Seja engraçado. Cada apresentação que você faz é uma "mastigação ruidosa". Por isso, atue com frescor, com entusiasmo e com rigor. Você pode, sim, ser um apresentador excepcional. Mas comece por se sentir excepcional.

- *Escreva uma carta motivadora para você mesmo.* Essa iniciativa é uma extensão do que acabamos de ver e uma ferramenta de impacto muito impressionante. A excelência só acontece em ambientes onde se distribuem elogios. Com exceção de pintores que amargam muitas críticas ferinas na vida, como o francês Paul Cézanne, em sua maioria os grandes artistas e, por definição, quaisquer grandes "atores", exigem elogios para mostrar suas qualidades. Por isso, ajude você mesmo. Escreva a carta motivadora. Se eu a escrevesse para mim mesmo, diria: "Caro Richard, quero que saiba que você foi demais ontem – realmente inspirador e engraçado, porém foi mais direto ao ponto, mostrou-se totalmente focado. Foi muito bom estar lá... você foi fantástico".

Pode-se perguntar se isso é autoelogioso ou autoindulgente demais. Ou, então, ridículo e desnecessário. A resposta é não – não se essa atitude alcança o objetivo-chave de fazer com que você se aperfeiçoe e se torne, como se espera, excepcional.

recapitulando

Muita coisa que acontece conosco e muita coisa relacionada a como atuamos ao fazer uma apresentação depende não só de como nos sentimos. Na jornada de comum para excepcional, a maior mudança vai ocorrer para a nossa psique, em vez de apenas para nosso domínio da técnica.

O britânico Daryll Scott, diretor de criação da interessante e altamente bem-sucedida companhia do ramo de treinamento Noggin, diz: "Esteja preparado para qualquer coisa, em vez de preparado para tudo". "Para tudo" só faz a gente se cansar; "para qualquer coisa" faz com que fiquemos muito alertas.

Mas, nessa busca pela excelência, acima de tudo esteja com boa disposição. É realmente muito difícil ser notável quando você está de mau humor. Uma das razões pelas quais os políticos se tornam menos eficientes à medida que passam mais tempo em seus cargos é que acabam desgastados por questões de intransigência. Eles ficam fartos, irritáveis e frustrados – e sua excelência de outros tempos se embota.

Assim, na próxima vez que começar a preparar uma apresentação – e, em especial, quando estiver de fato no palco, em plena atuação –, pense com afinco a respeito de como está feliz e contente por desempenhar esse papel, sobretudo para essa plateia em particular – da qual você gosta de modo particular. Ao fazer isso, vai descobrir uma notável diferença na maneira pela qual atua como apresentador.

CAPÍTULO 14

Bom,
você chegou lá –
excepcional,
muito bem!

SIM, VOCÊ JÁ CHEGOU LÁ... mas você lembra como é fazer apresentações excepcionais repetidas vezes? Você está seguro de que aquele palestrante nível "uau" do dia um não vai se tornar aquele apresentador monótono como garoa intermitente no dia dois? Não se junte à turma que vai de "herói" para "zerói" – leia este capítulo antes de cada apresentação. Não importa quão excepcional você seja, não importa quanto todo mundo tenha dito que a última apresentação foi boa. Não dê nada como favas contadas – absolutamente nada. Leia-o de novo, mais uma vez, de novo... Isso fará com que deixe de cometer erros canhestros ou de recair em maus hábitos. Impedirá que se torne arrogante. Como disse o boxeador britânico Robert Fitzsimmons (1863-1917), "quanto maiores eles são, tanto maior é a queda". Você atinge seu ponto mais vulnerável quanto atinge seu ponto mais excepcional. Não tropece – sua atividade-chave é treino, treino e ainda mais treino.

Esta é a fórmula da excelência

Não há nada de mágico a respeito disso: você só tem de ouvir atentamente os profissionais. Siga o formato de "apresentação excepcional" e dê duro de fato em cima dele. Lembre-se: a ideia de uma solução rápida é atraente, mas no fundo tão improdutiva em seu efeito quanto uma dieta radical:

■ Para começar, você tem de ser honesto sobre quanto você é bom ou ruim.

- Você precisa dar duro realmente no treinamento para se tornar bom.
- Você precisa de mais tempo para se dedicar às etapas de planejar, escrever e ensaiar do que consegue imaginar.
- A maior mudança que vai notar é que, quanto mais praticar, mais vai começar a sentir vontade de fazer apresentações e, não importa quanto proteste, uma certa excitação vai se desencadear no seu estômago, em vez do chamado terror de antecipação. Se tiver lido este livro e estiver preparado para dedicar mais tempo a se aperfeiçoar, então é bem provável que você já terá obtido uma melhora maciça.

Vivemos num mundo bastante competitivo, e há muitos jovens que consideram a atitude de ficar em pé em frente a seus pares bem menos estranha do que costumava ser para a geração imediatamente anterior. Na vida moderna, não subestime o quanto é importante e definidor de carreira o fato de você ser um apresentador excepcional. As pessoas são julgadas por como elas atuam como apresentadores em público porque isso mostra:

- como é boa a empresa que elas representam – quanto melhores elas são, melhor parece sua companhia; quanto melhor a empresa parece, melhor elas parecem por representá-la;
- como são confiantes em sua própria capacidade;
- como estão bem preparadas;
- como são bem informadas e instruídas e como estão em sintonia com seus acionistas;
- como são fonte de inspiração como líderes ou líderes potenciais;
- como parecem ser compreensivas e flexíveis;
- como parecem ter aquilo que é necessário.

Até que ponto você tem o que é necessário?

Num mundo que se agita para todos os lados como o nosso, um mundo em que o "sonho americano" declina em face da "explosão asiática", precisamos ter um ponto de vista global e um senso do motivo pelo qual aquilo que o *The Economist* maldosamente chama de "Chíndia" (o poderio econômico reunido de China e Índia) é tão importante. Não se trata apenas de "economias emergentes"– elas são o futuro do mundo.

Nossa capacidade de lidar com o novo ícone do século XXI, o chamado Santo Paradoxo, e comunicar os desafios que existem aos que estão ao nosso redor de maneira clara e inspiradora será o que vai distinguir o melhor executivo daquele que fica na média.

Tanto na Índia quanto na China achei que o conceito de "apresentação" é ainda uma novidade, mas cada vez mais se torna normal. Uma apresentação bem pensada e bem montada é bom negócio – e também boas maneiras.

Se você quiser dar à apresentação um tempero oriental, vai ter muita dificuldade para achar o termo "apresentação" em qualquer livro na China. Mas, se ler o livro do americano Laurence Brahm *When yes mean no (or yes or maybe)* – Quando sim significa não (ou sim ou talvez) –, você terá bom entendimento de 36 estratégias-chave dos chineses para negócios. É excelente leitura.

Eis aqui três dessas estratégias como aperitivo:

1 Mate com uma faca emprestada – ou seja, faça uso dos recursos de outra pessoa para realizar seu trabalho.
2 A retirada é a melhor opção – ou seja, não jogue o jogo que seu competidor quer que você jogue.
3 Deixe de ser anfitrião e transforme-se em convidado – ou seja, reverta sua posição a fim de salvar uma situação.

Se essas frases não começarem a lhe dar uma pista de que fazer uma apresentação na China talvez não seja totalmente simples, para mim será uma surpresa.

Comunicar a mudança de forma vívida, com compaixão e real entendimento, se tornará um dos recursos mais vitais que qualquer executivo deverá possuir. Para se manter em dia com as questões e lançamentos mais recentes, dê uma boa olhada nos sites Fast Company (www.fastcompany.com) e Springwise (www.springwise.com) constantemente.

A apresentação nunca foi tão importante

Ela é mais importante para os negócios de forma geral – e para você especificamente.

Em primeiro lugar, é mais importante para você. Você decidiu que faz diferença para você e espalhou a isca que o mostra como mais do que um apresentador comum. Você simplesmente aumentou as expectativas. Se, como qualquer pessoa que seja metade competitiva, você elevou o nível do seu jogo, só há uma direção para onde ir – e é para cima. Você já não é mais, digamos, um "golfista de fim de semana" e sim um jogador de bom nível.

Em segundo lugar, fazer uma apresentação é mais importante nos negócios. Apresentações notáveis para todo mundo envolvido – acionistas, força de trabalho, pares, competidores, clientes, consumidores, fornecedores, investidores, meios de comunicação, analistas, peritos em negócios e formadores de opinião – vendem ideias, modificam mentes e fazem os negócios progredirem. Uma apresentação notável vem, mais do que de qualquer outra coisa, de clareza de pensamento e empatia com a audiência – e do pensamento e entendimento claros que nos darão uma chance melhor de construir um mundo melhor. Sim, é importante assim. A comunicação tornou-se a habilidade número um.

As ferramentas da disciplina já foram descritas. Mas, como qualquer apresentador competente dirá a você, nunca é demais repetir.

- Decida o quanto você é bom. Analise seus pontos fortes e fracos. Considerando quão importantes são a arte e a habilidade da apresentação, não tente se esquivar de seus defeitos. Fale com outras pessoas mesmo se você acha que é perfeito, porque os comentários delas vão ajudá-lo. Fixe em que nível se encontra e determine o que seria um alvo razoável de aperfeiçoamento. Trata-se de planejar seu futuro – não só de esperar que o melhor aconteça.
- Contextualize sua apresentação. Dedique tanto tempo a isso quanto necessário antes mesmo de começar a pensar no que vai dizer e em como vai dizer. Reflita sobre *por que* faz essa apresentação, para *quem*, como a audiência *se sente*, o que ela *pensa*, *o que* se passa ao redor dela, *onde* você vai se apresentar, *quantas* pessoas estarão

lá. Não deixe nada ao acaso: deixe bem claro o contexto em que você se apresenta. Entenda corretamente o contexto e o resto se desenrolará de modo normal.

dica

Não deixe nada ao acaso – esteja preparado para qualquer coisa.

- Refine a história – a mensagem, a grande ideia. Como ela se desenvolve? Como você poderá contá-la de forma clara e absorvente? Você tem "aquele resumo tão preciso que pode ser dado a alguém numa viagem de elevador" ou, em outras palavras, a sinopse do enredo absolutamente clara, de modo que, se alguém lhe dissesse "Você tem só dois minutos para fazer sua apresentação a nós, e não meia hora", você seria capaz de encarar o desafio? Torne-se um grande contador de histórias e terá condições de se tornar um grande líder – é simples assim.
- Adicione pinceladas de cor, ou o material que aviva, dramatiza e torna tudo excitante. As pitadas de fatos contemporâneos, anedotas, dados, evidências que tornam a história inesquecível e convincente. Estes são os personagens sem fala, as multidões, os extras, os adereços de cena que tornam a história mais divertida. Lembre a orientação de cena contida na peça de Shakespeare *The winter's tale* (Conto de inverno): "Sai, perseguido por um urso" – excelente orientação cênica, muito divertida. Mas falamos de algo que é mais do que diversão. Falamos de caráter, atitude e inteligência – todos esses atributos acrescentam cor e tornam memorável uma apresentação.
- Certifique-se de que o apoio visual esteja absolutamente correto. Ele é composto pelos slides, pela encenação, pelos "brinquedos" que você usa para fixar um ponto na memória da plateia. Esses elementos estão lá para dar realce ao que você fala, mas nunca para comandar o espetáculo. Garanta que eles sejam bons o suficiente, de modo que não estorvem o resto. É claro que você deve aprender a montar seu apoio visual, mas peça conselho a profissionais quando se trata de fazer um grande espetáculo, de modo que esteja à altura

ou acima dos outros palestrantes. Bons slides tornam você mais rápido, fazem você se sentir bem e manter a audiência do seu lado sem exigir demais dela. Tenha orgulho do seu material – não aceite que seja "bom o bastante", ou é quase certeza que não vai ser de fato bom o bastante.

dica
Faça você mesmo seus slides, sim. Mas, quando se tratar de um grande espetáculo, procure assessoria profissional.

- Ofereça uma grande atuação. Seu alvo deve ser um *tour de force* sem nervosismo. Domestique as "borboletas no seu estômago", assegure-se de estar com boa voz, use especialistas para treinar e transformar você de cheio de desculpas (muito ruim) em uma fonte bem-humorada de energia (muito bom). Você está em cena – atue como se fosse o dono do espaço, da história e, pelo tempo em que você estiver lá, como se possuísse toda a atenção da plateia. Divirta--se. Não se trata de reunião da junta diretora, e sim de teatro.
- Mantenha o controle. Você é um maníaco por controle, ou está cercado de maníacos por controle que não deixarão nada ao acaso. Você criou um programa notavelmente extraordinário e tem grandes brindes para que eles levem para casa. Você pensa o tempo todo em maneiras de quebrar o paradigma do "eu aqui em cima e você aí embaixo". Este é o seu show – mostre que você é o melhor. Antes do espetáculo, durante e depois. E, se você fizer tudo isso, essa audiência será sua para sempre.

dica
Seja uma fonte de energia bem-humorada que se apossa do palco.

recapitulando
Você alcançará a excelência se fizer tudo o que se segue. Todos esses itens são importantes, mas "tatue" os primeiros cinco no seu cérebro.

- Você acredita que a vida é excitante.
- Você decide que realmente quer curtir a arte de fazer apresentações, não apenas cumprir o que está previsto.
- Você quer ser grande.
- Você acredita que pode conseguir isso.
- Você treina.
- Você consegue controlar seus nervos.
- Você tem ávida curiosidade por tudo que lê e vê.
- Você escuta tão bem quanto fala.
- Você se conscientiza daquilo que outras pessoas sabem fazer melhor que você.
- Você usa as habilidades superiores delas quando é importante.
- Tão importante que vou repetir: você treina.

Eu posso lhe fornecer as técnicas para chegar ao sucesso e também o desejo de atingir níveis de excelência. Mas, se você tem desejo obsessivo por se tornar excepcional, então acho que vai descobrir muito em breve que gosta demais da arte de fazer apresentações.

Bem-vindo ao mundo da obsessão. Bem-vindo ao teatro da apresentação. Bem-vindo ao sucesso nos negócios. Bem-vindo à excelência. Curta o agito.

CAPÍTULO 15

Como aplicar suas **habilidades** a todos os tipos de **reunião**

QUANDO COMECEI A ESCREVER *Apresentações de negócios,* tive esperança que o livro contivesse alguns conselhos sólidos e talvez algumas dicas inspiradoras. Talvez isso tenha acontecido, porque recebi um retorno positivo de uma porção de pessoas. No entanto, algumas me disseram que certas perguntas tinham ficado sem resposta. Por exemplo: quando uma apresentação não é uma apresentação? Que "conduta apresentacional" é necessária numa reunião pequena, mas crucial? Aqui está meu guia de orientação a respeito de como conduzir uma reunião de dez ou menos pessoas, com o uso possível de papel como *teleprompter,* mas, certamente, sem recorrer a slides.

Sem slides. Por que não?

Há ocasiões em que usar slides parece errado. Ou seja, quando recorrer a eles dá a impressão de que você não é absolutamente uma pessoa de mente aberta; de que a sua opinião já está formada; de que não admite mudanças e que está lá apenas para vender seu ponto de vista a eles. Uma reunião informal, que se espera seja de mentes, torna-se – ou corre o risco de se tornar – o contrário, ou seja, um monólogo formal, improdutivo ou, pior ainda, um monólogo antagônico. Já vi pessoas pensarem que estavam preparadas, mas, por causa da parafernália que trazem consigo, elas perdem a audiência – como o mágico e comediante inglês Tommy Cooper (1921-1984) costumava dizer: "Num piscar de olhos". Reuniões pequenas têm o propósito de fazer as coisas acontecerem, não de serem shows de slides. O bordão "E aqui está um que eu preparei" deve ser evitado.

Em vez disso, você deve ter como objetivo algo como "E aqui está um que nós criamos juntos, agora".

Você teve uma promoção, então faça com que essa primeira reunião conte

Decida o que quer que eles pensem de você e sobre essa coisa importante – a sua promoção. Sem conhecer o contexto da sua promoção, é realmente muito difícil alguém lhe prestar ajuda. Seu antecessor morreu de causas naturais, cometeu suicídio? Ou foi "executado", ou seja, despedido; ou "assassinado", ou seja, dedurado e traído por colegas? Ou foi embora para realizar coisas mais elevadas e grandiosas? Contexto é tudo. Mas esta é a sua chance de causar impacto – faça-o.

■ Lista de "faça" e "não faça"
Não faça
- ✗ Não seja ostensivo.
- ✗ Não seja exibicionista.
- ✗ Não trate ninguém com ar de superioridade.

E chega de "não faça"...

Faça
- ✓ Estabeleça um programa claro.
- ✓ Objetive tomar decisões.
- ✓ Tente fazer com que a atmosfera seja relaxada, positiva e eficiente.
- ✓ Faça com que as coisas fluam com velocidade.
- ✓ Tente fazer com que saiam murmurando "É assim que deve ser".

Você quer a promoção, então eleve seu jogo

A maior razão para o insucesso de executivos é que eles são maus apresentadores. Trabalhe horas na sua apresentação a fim de reduzir uma argumentação a cinco minutos claramente bem delineados. Conheça seu material tão bem que você não corra risco de se ver perdido. Mas seja gentil consigo mesmo. Tudo se resume a três coisas: três tópicos para comentar, três problemas, três oportunidades. A "regra de três" é para você uma maneira de estruturar argumentos e se concentrar em mensagens. Por isso, não estrague tudo ao insistir em dizer "três coisas me ocorrem" e ao revelar que você confia nessa técnica (de qualquer forma, pode ser que eles tenham lido este livro). A razão para que eles o promovam é como você parece saber o que faz. A maneira mais fácil de levá-los a pensar assim é você ser talentoso para falar sobre o que fez ou faz e por que o faz.

Sempre alerta: a vantagem-chave

Nunca fui escoteiro. No entanto, sempre pensei que o lema deles está 100% certo – sempre alerta, ou seja, bem preparado para tudo. Não dou nenhuma folga a todas as pessoas que treino quanto à questão da preparação. Surpreendentemente, muitos preferem passar voando por essa fase, e isso sempre me pareceu o cúmulo da esperança fútil. Não é possível que você de fato espere que o "deus da arte da apresentação" venha em seu socorro e o salve da confusão causada pela falta de preparação que criou ou simplesmente deixou acontecer. Pense bem: leva uma hora (ou muito menos, se você pega o jeito da coisa) para colocar tudo em forma de um jeito ou de outro; assim, não se preparar de forma adequada é nada menos que um escândalo.

Portanto, apenas sente-se e pesquise o que sua plateia e colegas querem ou esperam. Olhe por todos os ângulos. Leia os documentos. Reflita sobre as perguntas que é necessário fazer e sobre as respostas que é preciso dar. Coloque-se numa posição em que a reunião e tudo o que dela surgir não sejam nenhuma surpresa.

Faça com que a sua reunião pareça um evento a que vale a pena ir

Fazer com que a reunião se mostre como um evento a que vale a pena comparecer é um modo óbvio, mas eficiente, de operar. Envie e-mails para dizer às pessoas como vai funcionar. Procure os colegas antes da reunião, de modo a evitar qualquer confrontação desnecessária.

Faça com que a reunião se torne o ponto alto de uma série contínua de discussões. Se tiver de preparar documentos antecipadamente, assegure-se de que cheguem às pessoas no devido tempo e que cada tópico tenha um sumário simples de uma página, a fim de permitir que todos possam ir logo ao âmago de cada questão.

O local: escolha-o e faça com que se torne memorável

Se a reunião não vai se realizar no seu escritório ou numa sala de reuniões na empresa, veja se consegue encontrar um lugar interessante para isso.

- Ao ar livre – se o dia estiver bonito, por que não?
- À margem de um rio – se você estiver perto de um.
- Algum lugar com uma vista inspiradora.
- Algum lugar que tenha sido palco de um evento histórico, caso você queira criar uma atmosfera dramática.
- Uma sala a que você em pessoa tenha aplicado uma "direção de arte" antes do evento, com produtos ou gráficos de parede que mostrem todos os assuntos às partes interessadas – qualquer coisa que ajude as pessoas a se concentrar no tema.
- Algum lugar em que ninguém espera que se realize uma reunião, mas de onde ninguém possa escapar. Imagine alugar uma cápsula na roda-gigante London Eye e realizar uma reunião lá. Seria algo que realmente deixaria todo mundo impressionado.
- Uma sala de reuniões em um hotel cinco-estrelas – sairia caro, mas sediar o encontro lá já seria uma declaração enfática de que essa reunião tem importância.

Defina as expectativas de cada um. Corresponda a elas

Decida exatamente por que realiza essa reunião, o que quer obter com ela, o que os outros querem obter com ela, dedique dez minutos a mapear o estado de espírito de cada um que vai comparecer. Imagine o que seria a reunião perfeita da perspectiva de cada um. É isso que você deve ter como objetivo. Tente sempre corresponder às expectativas. Isso é fácil de fazer. Pergunte a todos individualmente quais são suas expectativas antes da reunião. Verifique se correspondeu a elas no fim da apresentação.

Aprenda a ter jogo de cintura

Isso é mais fácil do que você pensa. No entanto, antes de adquirir esse requisito como uma técnica, parece ser uma aspiração distante e inalcançável. Ela se divide em três partes:

1 Dominar seu resumo e o impulso geral que ele dá, não apenas o detalhe (que frequentemente mais confunde que ajuda).
2 Conhecer as pessoas e como elas se comportam. Em algumas companhias, desafio é um modo de vida.
3 Estabelecer sua presença como apresentador. Guie-se por uma conduta coerente, seja polido e defina a maneira como trabalha e como responde. Pense sobre como quer ser visto e ouvido.

Pense sobre duas coisas – uma delas é estar sempre maleável. O que se exige é flexibilidade, e não dogma. A outra é ter bem claro um conjunto de coisas em que você acredita; lições que aprendeu; princípios em relação aos quais não vai ceder. No palco ou numa reunião, ver um apresentador que deixa bem claro o que ele representa causa sempre boa impressão.

O sumário executivo

À medida que as pessoas ascendem a posições mais seniores nos negócios, o alcance da atenção delas tende a encolher. À medida que todos nós ficamos cada vez mais ocupados, nossa capacidade de processar informações se reduz. Todos nós sofremos de sobrecarga. É aqui que entra o sumário do executivo como ferramenta muito útil. Os que forem competentes nesse departamento vão prosperar e se destacar. E é fácil estabelecer esse sumário.

■ Resuma a questão em uma frase: linguagem simples, nenhum jargão.

- Até que ponto uma mudança radical está envolvida?
- O que necessitamos considerar?
- Quais pessoas ela afeta na organização?
- Como as afeta?
- Por que é importante, crítica, fundamental (seja lá o que essa mudança for)?
- Quando se deve tomar as decisões a respeito, começar e completar a implementação?
- Quais custos estarão implicados (investimento, retorno, poupança de gastos, riscos a evitar)?
- Quem tem de fazer o quê? E como precisa fazer?
- Repetir sumário dos pontos acima.

Imprima uma "marca" a suas reuniões – para que eles queiram voltar

Como você imprime uma "marca" a uma reunião? Bem, uma alternativa é colocar um chocolate sobre cada programa que você dá de brinde ou, melhor ainda, uma tigelinha de cenouras picadas – para dar energia. Outra é colocar flores na mesa. Amores-perfeitos cairiam muito bem. Como diz Ofélia em Hamlet: "E há amores-perfeitos / Que são para pensamentos". Mais uma boa sugestão: algo que simbolize a intenção do evento. Para uma reunião que discuta corte de custos, ponha uma faca na mesa (estou brincando...). Se o tema é crescimento, uma medula (de plástico ou outro material) vai bem. Para um *brainstorm* criativo, pilhas de chocolatinhos coloridos ou produtos fora do comum sobre a mesa. Se a finalidade é eliminar burocracia, use tesouras e pilhas de papéis inúteis ou balões de ar com dizeres burocráticos, com alfinetes ou algo pontiagudo para estourá-los.

É muito simples. "Ganchos de memória" tangíveis fazem das reuniões acontecimentos cheios de vida.

Aproveite bem cada minuto

Faça tudo com rapidez e clareza. Acima de qualquer coisa, assegure-se de que eles de fato reflitam sobre a reunião que tiveram, não a reunião que você queria ter tido. Situações assim fazem parte da experiência da apresentação.

Muito importante: bom café e bom material de apoio

O empresário e executivo sir Mark Weinberg escolheu a FCO como agência de publicidade da seguradora britânica Allied Hambro (como então se chamava) graças à excelência do seu café. Detalhes como café, suco de laranja fresco, bons biscoitos etc. importam – e muito. Eles refletem o cuidado que você tem. Apresentação não tem a ver só com PowerPoint; trata-se também de criar uma experiência total.

Pré-reunião e pós-reunião: como jogar o jogo

Quando nos damos conta de que criamos uma situação que se pode chamar de "apresentação para resultados", tomamos consciência de que não se trata de um exercício da arte da apresentação – e, muito mais, de política de escritório. A apresentação é meramente o meio pelo qual você obtém os resultados que quer. Por isso, certifique-se de instruir bem as pessoas, de que elas recebam um resumo adequado e de que você as mantenha em *follow-up* depois do evento.

O jogo é fazer com que as coisas caminhem. O jogo é envolver todo mundo, de modo a obter resposta mais intensa e produtiva. Garanta que vai tomar decisões, concordar com ações e que os participantes dessa apresentação ou reunião vão tomar consciência de que foram tratados com seriedade.

recapitulando

Reuniões podem e devem ser eventos muito bem planejados, em que se desperte um ânimo tal que você consiga:

- alinhamento;
- melhor estratégia de pensamento;
- missão compartilhada de comunicar de maneira mais poderosa.

Tudo o que distingue um apresentador excepcional no palco pode ser amenizado e direcionado para conduzir grandes reuniões que tenham conteúdo de apresentação. Essas técnicas não só funcionam melhor como também são mais divertidas.

Por isso, curta toda essa situação e garanta que todo mundo também o faça.

CAPÍTULO 16

Sumário das lições contidas neste livro

A ESTA ALTURA, você já é um perito na moderna arte da apresentação de negócios. Você saberá como atuar, o que evitar e as maneiras de fazer com que se sobressaia. Neste mundo de mudanças, em que acontecimentos impossíveis passam a ser vistos como normais; em que começamos a acreditar que qualquer um consegue atingir suas metas se demonstrar determinação suficiente para isso, é importante manter todas essas questões em perspectiva, porque algumas coisas permanecem inalteráveis. Um grande orador do passado se ajustaria para se tornar um grande orador hoje. O romancista britânico Charles Dickens se tornaria um grande blogueiro. Shakespeare usaria o Tweeter se vivesse nos nossos dias (e escreveria peças como *The wire* – A rede).

Certas coisas nunca mudam...

Aqui vai o lembrete de que, embora as coisas pareçam mudar a um ritmo incrível, elementos como amor, casamento, filhos, medo, ganância, ambição, contação de histórias, desenvoltura e riso continuam em seu lugar de sempre, firmes e fortes.

dica
Algumas regras básicas da arte de fazer apresentações nunca mudam... fazer-se ouvir muito bem, mostrar charme e energia, para início de conversa.

...mas outras mudam, sim

O que mudou são cinco pontos-chave quando se trata do mundo da arte de fazer apresentações:

1 A frequência das apresentações – as apresentações agora são a norma em todo lugar, o que significa que as expectativas das pessoas quanto a elas não param de subir, e de forma impressionante. De repente, os jornais estão cheios de eventos com pessoas que falam. Conferências costumavam ser eventos únicos e muito caros, agora têm preço razoável e são frequentes. A troca mais importante de conhecimento acontece no palco, ao vivo e não apenas em livros e teses de acadêmicos.

dica
Você vai aprender mais comparecendo a boas apresentações do que se ficar sentado à sua mesa.

2 O inglês é hoje considerado a "língua franca" em reuniões de empresas globais, o que significa que a necessidade de clareza e simplicidade de expressão tem peso bem maior do que nunca. É extremamente difícil não ficar impressionado com a fluência com que tantos jovens inteligentes da China, Irã, Turquia, Grécia, Brasil e até da França (sim, isso mesmo!) realizam transações e debates em inglês. (Toda vez que escrevo essa afirmação de que "o inglês é a língua franca", acho que isso deve irritar os franceses. Mas, em sua maioria, eles falam inglês tão bem que talvez não se importem.)

dica
Aprenda a falar de modo fácil de entender, simples e claro. Evite ideias complexas e seja direto.

3 Desenvolvimentos tecnológicos significam novas oportunidades – novas abordagens da arte de fazer apresentações são criadas o tempo todo. Elementos como vídeo e animação são cada vez mais relativamente fáceis de dominar (até que enfim!). Você pode pegar trechos de filmes para incrementar suas apresentações. Mas tenha cuidado – não atravanque nem interrompa sua mensagem com uma maçaroca de tecnologia.

dica
Use a tecnologia, mas não se deixe governar por ela.

4 Cada vez mais as apresentações se transformam em conversas, com um estilo mais relaxado, uso maior de anedotas pessoais e maior foco em uma ou duas mensagens-chave.

dica
Pense em sua apresentação como uma conversa amigável – essa é a moda atual. Veja se ela serve para você.

5 Ensinar as pessoas a ter jogo de cintura e reflexos rápidos para se tornarem grandes apresentadores é uma tarefa que deveria começar aos quatro anos de idade. Veja o que diz Peter Hyman, ex-estrategista político, sobre a escola recém-inaugurada em que é vice-diretor de ensino, em Newham, na Zona Leste de Londres: "A língua inglesa será nossa especialidade, nossa missão é fazer com que cada aluno saia daqui com grandes habilidades de comunicação, como um leitor ávido, escritor fluente e orador confiante".

Não é à toa que a arte da apresentação se torna cada vez mais importante, em todo lugar.

dica
A capacidade de falar com confiança está no topo da agenda. Não espere para depois ter de se atualizar com essa tendência.

As verdades eternas

Ao mesmo tempo, há algumas verdades eternas relativas ao desempenho no palco. A clareza de comunicação, o uso da autoconfiança e do charme ainda constituem virtudes-chave. Como sempre, as pessoas querem ver e ouvir alguém que parece saber do que fala e está feliz em desempenhar esse papel.

Mas o ingrediente principal, que nunca mudou nem nunca vai mudar, é a importância do conteúdo cativante, revelador e surpreendente. As pessoas querem ouvir uma bela história, uma apresentação com uma "trama", não uma lista de cifras ou uma tonelada de jargão.

> **dica**
> Audiências sempre querem ser cativadas, informadas e entretidas. Isso nunca vai mudar.

"Morte ao jargão" é o tipo da coisa que é mais fácil dizer do que fazer (e todo mundo concorda que o uso do jargão tem mesmo de acabar) – porque, na hora do aperto, da mesma forma que se livrar dos clichês, também é difícil eliminar o jargão.

Hoje em dia, as maiores forças propulsoras no esforço de fazer com que voltemos aos velhos e bons valores das histórias contadas com simplicidade, clareza e com pinceladas de cores são, é claro, o TED (Tecnologia, Entretenimento e Design) e a influência que essa instituição tem.

A qualidade do desempenho das pessoas que atuam nele – gente inteligente e apaixonada, que fala de maneira breve sobre uma ideia que ama e quer compartilhar – exerce sobre nós uma atração completamente irresistível.

Dessa forma, o TED ajudou a transformar o conceito de "excelência" em referência. Por esse motivo, na lista de tópicos do TED, há sempre uma seção específica para o que eles chamam de "deixar a plateia de queixo caído".

Um lembrete de como se tornar um apresentador excepcional

Chegar a ser um apresentador excepcional a ponto de deixar a plateia de queixo caído tem a ver com atitude mental. Você precisa querer fazer assim. Você tem de acreditar que pode ser excepcional.

O maior desafio de todos começa na fase de preparação. É nela que as sementes do desastre são semeadas, a não ser que você mostre diligência, cuidado e entusiasmo. Assim, prepare tudo com cuidado e não deixe nada ao acaso. Destine sempre o dobro do tempo à preparação do que seria de esperar. Apresentadores notáveis raramente improvisam. Eles trabalham duro na apresentação, dão-lhe polimento, editam o material todo e o ensaiam várias vezes.

As três sugestões-chave são:

1 Deixe bem claro o motivo da apresentação, quem estará na plateia, quais são as expectativas de quem vai comparecer e o que eles sabem a seu respeito.

2 Monte sua apresentação de modo que ela examine um conjunto de questões e dê respostas claras e compreensíveis às perguntas originadas por elas.

3 Não fale com a audiência com ares de superioridade nem use jargão. Assegure-se de que as pessoas saibam do que está falando, por que fala disso – e nunca deixe que, quando você terminar de falar, elas venham a pensar, perplexas, algo como "Mas a respeito de que foi essa apresentação?".

■ Lista de "faça" e "não faça"
Faça
✓ Ame a sua audiência.
✓ Tenha prazer com sua história.
✓ Mantenha-a simples.
✓ Nunca ultrapasse o tempo previsto.

Não faça

✗ Não seja vago. Cada afirmação deve ser acompanhada de algum tipo de comprovação... acrescente a palavra "porque" a tudo que você afirmar.

✗ Não diga às pessoas o que elas já sabem. Ou, se o fizer, mostre um ângulo novo.

✗ Não dependa apenas de pesquisas. Use também anedotas pessoais.

✗ Não fale de maneira incompreensível. Garanta que eles consigam ouvir cada uma das palavras que você diz.

✗ Não use palavras compridas, incomuns.

Os maiores desafios a vencer no caminho para a excelência

- Ter muito pouco tempo para preparar a apresentação.
- Ser autocondescendente. Lembre-se: "menos é mais".
- Ficar nervoso demais. Você não vai morrer lá em cima e quem sabe até vai curtir muito tudo isso.
- Tornar-se arrogante. As piores apresentações acontecem quando o apresentador não domina os nervos de maneira alguma e passa a imagem de arrogância.

recapitulando

Para mim, as cinco mais importantes dicas são as que seguem.

Dica 1

Faça os que estão na plateia "ficarem pendurados" em cada palavra que você diz. Procure o efeito "Era uma vez..." – sim, é preciso ter uma história que valha a pena ser contada. Sua melhor chance de se tornar um sucesso é ser um bom contador de histórias com ideias que valham a pena compartilhar e ser capaz de construir suspense.

Dica 2

"Ganchos de memória" fazem a diferença. Se quer ficar na lembrança deles, tente inserir na sua fala pinceladas de cor que o coloquem em destaque – alguns fatos atraentes, uma grande citação ou uma incursão com um tópico de evidência a respeito de uma afirmação controversa. Seja corajoso.

Dica 3

Aprenda a ter jogo de cintura. Você precisa ser um apresentador que não dependa de anotações, se quiser competir no nível mais alto. Isso é impossível de fazer, a não ser que você tenha uma história simples, clara, na qual você acredita e com a qual você se sente confortável.

Dica 4

Seja profissional e trabalhe com profissionais. Contrate um especialista para treinar você e acelerar seu aperfeiçoamento. Não tente montar seus próprios slides – use uma firma especializada ou providencie para que seu pessoal receba treinamento do mais alto nível para se tornar excelente em slides. Se for um evento capaz de influenciar sua carreira, trabalhe com os operadores melhores e de mais alto nível nos departamentos de som e imagem. Nunca carregue a culpa de pecar por amadorismo. Procure ensaiar no próprio local da apresentação. Não se deixe apanhar de surpresa.

Dica 5

Que audiência maravilhosa! Tome a decisão consciente de "amar" sua audiência. Tente passar vibrações positivas. Se entrar em sintonia com sua audiência, quem estiver nela vai prestar mais atenção a você. E, claro, sorria para eles, jogue seu charme e tente inspirá-los. Eles são seus amigos.

Conheça também outros títulos

hsm collection - Vendas
de Tom Bird e Jeremy Cassel

O best-seller de vendas do Reino Unido.
Tanto faz se você é novo no ramo ou se está prestes a subir o próximo degrau: o livro *Vendas* lhe mostrará como melhorar o desempenho de forma imediata e obter resultados excepcionais.
Além de ter acesso às habilidades-chave necessárias a uma boa negociação, você aprenderá sobre desafios tão diversos quanto a linguagem corporal correta, a realização de reuniões eficazes e o engajamento de times remotos de vendas. Mais do que isso, você saberá como aproveitar sua personalidade para aperfeiçoar técnicas e entender melhor as necessidades do cliente. Você estará sempre um passo à frente do mercado.

hsm collection – Estratégia
de Max Mckeown

Usando a ciência da estratégia, o livro Estratégia – do planejamento à execução vai ajudá-lo a enfrentar os importantes desafios que você encara tanto no desenvolvimento das estratégias quanto na dificuldade de colocá-las em ação.
Com o objetivo de mostrar estratégias poderosas para obter sucesso em um mundo competitivo, o livro responde às seguintes perguntas:
- O que sabemos sobre estratégia?
- O que a estratégia pode fazer por você?
- Como usar ferramentas de estratégia de maneira eficiente?
- Como mobilizar pessoas com estratégia?
- Como evitar armadilhas, problemas e fracassos?

Confiança Criativa
de David Kelley e Tom Kelley

A inovação e a criatividade são reconhecidas como os principais elementos por trás do sucesso nos negócios e, atualmente, são tidas como características fundamentais em líderes. Neste livro, os autores nos mostram que a criatividade é uma abordagem proativa na busca por soluções. Nem todos somos artistas, mas podemos ser advogados, médicos, gerentes ou vendedores mais criativos. Inspirados em casos da IDEO e da d.school em Stanford, os irmãos Kelley revelam estratégias específicas para libertar a inventividade de cada um, pois, segundo eles, a criatividade e a capacidade de inovação são como os músculos: quanto mais você usa, mais fortes ficam.
Confiança criativa nos dá a coragem de fazer a diferença e nos inspira a combinar ideias arrojadas com ações efetivas, que contribuem tanto para a empresa e a carreira quanto para a vida.

Levando as Pessoas com Você
de David Novak

David Novak aprendeu que não é possível liderar uma organização bem sucedida, de qualquer tamanho, sem fazer com que as pessoas estejam alinhadas, entusiasmadas e focadas incansavelmente em um grande objetivo. Este livro traz lições objetivas sobre o tipo de liderança que pode levar uma organização para adiante e que deve ser abraçada por todos que queiram progredir nos negócios e na vida, estejam no início de suas carreiras ou tenham já galgado alguns degraus na hierarquia organizacional.
Apresenta ferramentas que vão desafiá-lo a refletir sobre como realmente está se saindo em aspectos-chave da liderança.

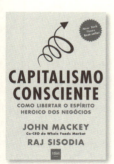

Capitalismo Consciente
de John Mackey e Raj Sisodia

O que empresas como Google, Southwest Airlines, Whole Foods Market, Patagonia, e UPS tem em comum? Todas elas incorporam em sua gestão alguns aspectos construtivos e promissores do capitalismo, atuando de maneira a criar valor não só para si mesmas, mas também para seus clientes, funcionários, fornecedores, investidores, a comunidade e o meio ambiente.
Criadores do movimento do Capitalismo Consciente, os autores explicam como algumas empresas aplicam os princípios deste movimento inovador na construção de estruturas sólidas e lucrativas.
O livro oferece uma defesa ardorosa e uma redefinição consistente do capitalismo de livre-iniciativa, em uma análise valiosa tanto para os profissionais como para as empresas que apostam em um futuro mais cooperativo e mais humano.

O Executivo e o Martelo
de Clóvis de Barros Filho e Arthur Meucci

Logo na apresentação os autores anunciam que pretendem "oferecer uma reflexão filosófica, sociológica e psicanalítica de fácil compreensão sobre os principais temas polêmicos do dia-a-dia das grandes corporações." De fato, suas colocações são facilmente compreensíveis por qualquer leitor interessado no tema: a ética empresarial. Mas são muito mais do que isso. Os autores se inspiram, entre muitas outras fontes, no pensamento do filósofo Friedrich Nietzsche, que recomenda golpear duramente, se necessário com um imaginário martelo, os preconceitos e a hipocrisia dissimulados em verdades estabelecidas – ou aquilo que Francis Bacon chama de "ídolos". A leitura desta obra é um saudável e provocador convite a que o executivo adestrado apenas para bater metas descubra que tem capacidade para muito mais: basta confiar no uso de sua própria razão e no bom senso.

Empresas feitas para vencer
de Jim Collins

Considerado, pela Time Magazine, um dos livros de negócios mais importantes de todos os tempos, esta obra seminal de Jim Collins responde a seguinte pergunta: Como empresas boas, medianas e até ruins podem atingir uma qualidade duradoura?

Empresas feitas para vencer mostra como as grandes empresas triunfam no decorrer do tempo e como o desempenho sustentável a longo prazo pode ser inserido no DNA de uma organização desde sua concepção.

Collins apresenta exemplos que desafiam a lógica e transformam a mediocridade em uma superioridade duradoura. O autor apresenta também quais são as características universais que levam uma empresa a se tornar excelente e outras não.

Os resultados do estudo irão surpreender muitos leitores e lançar novas abordagens sobre quase todas as áreas da gestão.

O Futuro
de Al Gore

Al Gore, ex-vice-presidente dos Estados Unidos, nos apresenta mais uma "ver¬dade inconveniente".

Mantendo a mesma paixão com que abordou o desafio das mudanças climá¬ticas, e amparado em décadas de experiência à frente das políticas globais, o autor analisa o horizonte nublado de nosso planeta e, apresentando uma avaliação sóbria e fundamentada.

Desde o início de sua vida pública, Al Gore tem alertado para os perigos e as promessas das verdades emergentes, por mais "inconvenientes" que sejam esses avisos. Ao mesmo tempo envolvente e visionário, O Futuro oferece um mapa do mundo que parece se aproximar, elaborado por um homem que vem se destacando por pensar à frente – e que já comprovou estar certo.

Negocie para Vencer
de William Ury

Todos queremos chegar ao sim, mas e se a outra pessoa insiste em dizer não? Como negociar e ter sucesso com um chefe teimoso, com um cliente furioso ou com um colega de trabalho desleal? Em Negocie para Vencer, William Ury, do Program on Negotiation da Faculdade de Direito de Harvard, apresenta uma estratégia comprovada para transformar oponentes em parceiros de negociação.